D1407857

Des enfants
découvrent
l'agriculture

Couverture
- Dessin:
  EMMANUELLE TURGEON
- Maquette:
  GAÉTAN FORCILLO

Maquette intérieure
- Conception graphique:
  JEAN-GUY FOURNIER
- Illustrations:
  DOMINIQUE LEMIEUX
  POL TURGEON

DISTRIBUTEURS EXCLUSIFS:

- Pour le Canada:
  AGENCE DE DISTRIBUTION POPULAIRE INC.*
  955, rue Amherst, Montréal H2L 3K4 (tél.: 514-523-1182)
  *Filiale de Sogides Ltée

- Pour la France et l'Afrique:
  INTER-FORUM
  13, rue de la Glacière, 75013 Paris (tél.: 570-1180)

- Pour la Belgique, la Suisse, le Portugal, les pays de l'Est:
  S.A. VANDER
  Avenue des Volontaires 321, 1150 Bruxelles (tél.: 02-762-0662)

Didier Calvet

Des enfants découvrent l'agriculture

Éveillez votre enfant par des contes

LES ÉDITIONS DE L'HOMME*

CANADA: 955, rue Amherst, Montréal H2L 3K4

*Division de Sogides Ltée

© 1982 LES ÉDITIONS DE L'HOMME,
DIVISION DE SOGIDES LTÉE

Tous droits réservés

Bibliothèque nationale du Québec
Dépôt légal — 2e trimestre 1982

ISBN 2-7619-0223-8

À Claudine, mon épouse, à mes
enfants, Nathalie, onze ans,
Hélène, huit ans
et Stéphanie, trois ans
qui ont largement
contribué à fournir
des exemples de la vie quotidienne
pour illustrer les principes de
base de ce volume.

Introduction

Ce volume fait suite à *Quatre enfants découvrent le monde des adultes*. Vous pouvez le lire avec votre enfant même si vous n'avez pas parcouru le précédent. Nous ne développerons pas, dans celui-ci, certains thèmes que nous avons déjà exploités; nous nous contenterons de référer aux pages du volume précédent pour plus d'informations.

Un livre à lire pour les 5 à 85 ans (et plus)

Nous visons, par ce livre, les enfants de 5 à 10 ans et les adultes qui gravitent autour d'eux: les parents, les éducateurs, les enseignants. Nous voulons favoriser leur communication en leur fournissant un terrain de rencontre et d'échange: leur savoir et leurs expériences de la vie enfantine.

Un livre pour les enfants

Le volume a été conçu avant tout pour être lu par les enfants de 5 à 10 ans. Il se compose de dix petites histoires très réalistes autour d'un grand-père et d'une grand-mère qui ont fait un retour à la terre en l'exploitant d'une façon traditionnelle mais qui sont en mesure d'expliquer à leurs petits-enfants, en vacances chez eux, les moyens modernes utilisés pour l'agriculture et l'élevage.

Ces histoires constituent donc pour l'enfant une source d'informations et reflètent un plaisir de vivre avec des personnes âgées qui ont une grande expérience de la vie et une sagesse respectueuse des aspirations et des besoins de savoir d'un enfant.

Le besoin de savoir est un préalable nécessaire à la démarche scientifique et à l'appropriation du savoir d'autrui; il est stimulé par l'entourage de l'enfant. C'est pourquoi nous ne saurions trop recommander aux adultes (les parents particulièrement) de lire ce volume avec leur enfant.

Un livre pour les parents

Le volume a été également conçu pour les parents. Il invite souvent ceux-ci à faire vivre des expériences à leur enfant, à organiser des visites dans un musée, un zoo, une ferme. Il leur demande parfois une collaboration avec leur enfant pour constituer des collections, faire des recherches dans un dictionnaire, une encyclopédie ou une bibliothèque.

Il suggère, entre chaque histoire, une manière de lire ou de faire lire les histoires et le texte des jeux, constituant ainsi un guide pédagogique de lecture. Cette partie du volume est exclusivement réservée aux adultes.

Un livre pour les enseignants

Le volume a été conçu aussi pour les enseignants. Les nouveaux programmes de français sont axés de plus en plus sur des activités et particulièrement sur une lecture signifiante pour l'enfant. C'est pourquoi nous avons composé des histoires centrées sur le savoir et le vécu de l'enfant de cinq à dix ans, et montrant la curiosité et le plaisir d'apprendre de ce dernier.

Comme dans le précédent volume, *Quatre enfants découvrent le monde des adultes*, les histoires ont été écrites selon trois niveaux de lecture: le premier, pour des enfants de maternelle; le deuxième, pour des enfants du niveau de fin de première année; le troisième, pour des élèves de troisième ou quatrième année à l'élémentaire. L'enseignant aura ainsi un instrument de lecture progressive stimulant l'intérêt à la lecture chez l'enfant.

Notre démarche

Notre démarche est une approche systémique [1]; les principes généraux sont les suivants:

1. Nous voulons éviter l'approche traditionnelle qui consisterait à épuiser un sujet avant de passer au suivant. Bien au contraire, nous revenons plusieurs fois sur des thèmes déjà traités, mais nous les abordons ultérieurement sur des plans différents (information, questionnaire-synthèse, mise en situation sous forme de simulation, comparaison, analogie, application, généralisation).
2. Nous invitons l'enfant à faire une démarche directe ou indirecte pour vérifier les concepts proposés, soit par des expériences, soit par des démarches intellectuelles par analogie.
3. Nous l'encourageons à percevoir l'analogie et l'interdépendance entre divers systèmes (biologique et physique par exemple).
4. Nous insistons avant tout sur la compréhension entre les faits et les éléments. Les moyens utilisés à cette fin varient selon le degré de connaissance et le niveau de compréhension de l'enfant.

On comprendra peut-être mieux à présent le rôle que nous voudrions que les parents, l'enseignant, l'éducateur en général, jouent avec leur enfant lors de l'utilisation de ce volume: l'éducateur doit avoir, à notre avis, un rôle d'incitateur qui facilite et enseigne éventuellement lorsqu'il s'agit d'apporter un complément d'information désiré par l'enfant pour une meilleure compréhension à son niveau.

---

(1) Cette approche est relativement récente, particulièrement pour son utilisation dans l'enseignement et l'éducation. Pour plus d'informations sur l'approche systémique, nous vous suggérons, de Joël de Rosnay: *Le macroscope: vers une vision globale*, Éd. du Seuil, 1975.

Que contient le volume?

Ce volume se compose de dix chapitres. Chacun d'eux comprend une histoire, un questionnaire-synthèse permettant de mieux évaluer si l'enfant a compris ce qu'il a lu (ou ce qu'on l'a aidé à lire), des jeux de mise en situation et un texte destiné aux parents.

1) L'histoire proprement dite

Les histoires ont été étudiées afin d'être lues par les enfants de 5 à 10 ans (quel que soit leur niveau académique.)

Premier niveau : les images

Chaque histoire se compose de trois images qui se succèdent pour faire une séquence complète. Le lecteur pourra comprendre l'histoire en découvrant les liens soit chronologiques, soit logiques, ou les deux entre ces images : la première illustration présente généralement la situation et pose un problème ; la deuxième traduit une action en vue de modifier la problématique ; la troisième permet de voir le résultat.

L'illustration n'a pas ici la fonction d'agrémenter le volume et de distraire l'enfant mais bien de fournir une sorte de texte (en images) compréhensible par celui qui n'a pas encore appris les symboles arbitraires de notre écriture. Ce premier niveau de lecture (la lecture des images) permet ainsi à l'enfant de même qu'à tout lecteur d'accéder rapidement à un premier niveau de compréhension de l'histoire.

Deuxième niveau : le texte au-dessus des images

Ce texte court et d'un vocabulaire simple fait parler les personnages impliqués. Il apporte une information complémentaire à l'image, aiguisant ainsi la curiosité de l'enfant et son désir de le lire (ou de se le faire lire).

Troisième niveau: le texte à gauche des images

Ce texte, sous forme de dialogues, complète l'histoire et exploite un thème différent à chaque page. Son contenu apporte à l'enfant des informations scientifiques sur l'agriculture et l'élevage. Les thèmes développés sont les suivants:

Titres	• Thèmes
1. Sylvie conduit le tracteur de grand-père.	• Différences entre un tracteur et une automobile, p. 30 • Analogie entre la culture en pot et celle pratiquée dans les champs, p. 32 • Analogie et mise en évidence des différences entre la culture maraîchère et la culture extensive, p. 34
2. Grand-père fait moissonner son blé.	• Origine du blé, p. 54 • Comparaisons entre la récolte du blé autrefois et aujourd'hui, p. 56 • Utilisation du blé, p. 58
3. Grand-père cultive son jardin.	• Semailles et plantations, p. 68 • Récolte des légumes, p. 70 • Récolte des fruits, p. 72
4. Grand-mère prépare des conserves.	• Pourquoi faire des conserves? p. 84 • Différents types de conservation, p. 86 • Échanges entre voisins, p. 88

Titres	• Thèmes
5. Grand-mère élève des poules.	• Les animaux de la basse-cour, p. 98 • L'élevage des poules, p. 100 • Recette de cuisine, p. 102
6. Grand-père tond ses moutons.	• Les moutons donnent de la laine, p. 112 • Les brebis donnent du lait, p. 114. • Les brebis ont des agneaux, p. 116
7. Sylvie veut traire une vache.	• Les chiens, p. 130 • La traite des vaches, p. 132 • Le lait et son traitement pour la conservation, p. 134
8. Grand-père fabrique du fromage.	• Fermentation du lait, p. 144 • Variétés de fromages, p. 146 • Fromages frais et fromages faits, p. 148
9. Sylvie monte à cheval.	• Lieu de vie des animaux de la ... me, p. 158 • Comment monter à cheval, p. 160 • Techniques d'équitation, p. 162
10. Éric et Sylvie vont à la pêche.	• Pollution et dépollution de l'eau, p. 172 • La pêche, p. 174 • Une recette pour cuire du poisson, p. 176

2) Le questionnaire-synthèse

Il pose des questions à l'enfant permettant d'analyser les facteurs nécessaires à la compréhension de sa lecture (faite avec ou sans aide). Elles sont hiérarchisées selon plusieurs niveaux de difficulté: les premières questions portent sur le contenu des images et sur les liens entre celles-ci; les suivantes, sur les textes et sur les expériences en relation avec l'histoire vécue par l'enfant.

La page suivante réunit les trois images de l'histoire. Leur disposition permet à l'enfant de mieux percevoir soit la chronologie des événements, soit les liens logiques entre elles, ou les deux.

3) Les jeux de mise en situation

Ces jeux ont pour but de faire vivre à l'enfant des expériences en rapport avec l'histoire, de l'aider dans sa démarche scientifique, de stimuler sa curiosité et de lui suggérer des pistes pour faciliter ses recherches dans un dictionnaire ou dans une encyclopédie. Tous ces jeux sont hiérarchisés selon le degré de connaissance et de maturité nécessaire pour les réaliser.

Les types de jeux proposés sont les suivants:

Classification

Il s'agit de regrouper des éléments semblables à partir d'informations fournies ou connues de l'enfant.

Analyse des ressemblances et des différences

Ce sont également des classifications, mais nous invitons l'enfant à analyser les facteurs qui justifient la classification.

Analyse systémique

Il s'agit de dégager des analogies entre des faits ou des éléments apparemment dissemblables. Après chaque jeu, nous reviendrons plus longuement sur les explications de l'analyse systémique dans la partie qui s'adresse aux adultes.

Simulations et hypothèses de solutions

Ces jeux proposent à l'enfant de réfléchir à ce qui se passerait dans une situation hypothétique donnée (position du problème, interventions possibles, conséquences du résultat).

Explications techniques

Ce sont des informations scientifiques permettant à l'enfant de comprendre un phénomène physique (le fonctionnement d'un appareil), biologique (la croissance d'une plante) ou une technique spécifique.

Techniques de fabrication

Nous proposons à l'enfant de fabriquer un objet en employant une technique particulière. L'objectif est de l'amener à exécuter une série de consignes hiérarchisées en vue d'aboutir à une réalisation d'un produit fini (un bateau, une boîte à crayons par exemple).

Le tableau suivant classe les jeux selon six types définis et indique l'âge à partir duquel les enfants sont censés pouvoir réaliser ces jeux sans difficulté.

Types de jeux	Numéros de l'histoire	Pages	Titre du jeu	Âge limite suggéré pour la réalisation
	1	43	Pépins ou noyaux?	6 ans
	1	44	Quelles graines connais-tu?	7 "
	3	76	Quels légumes connais-tu?	5 "
Classifications	7	138	Connais-tu plusieurs races de chiens?	7 "
	9	166	À quelle famille appartient le cheval?	7 "
	10	182	Connais-tu plusieurs sortes de poissons?	8 "
	1	38	Ça se ressemble, mais c'est différent: une bicyclette et un tracteur	7 "
Analyse des ressemblances et des différences	3	76	Ce légume se mange-t-il cuit ou cru?	7 "
	5	106	Visite d'un poulailler	5 "
	8	152	Quels fromages y a-t-il à l'épicerie?	7 "
	8	152	Quel fromage préfères-tu?	6 "
	1	45	Un moteur et une plante se ressemblent-ils?	9 "

Types de jeux	Numéros de l'histoire	Pages	Titre du jeu	Âge limite suggéré pour la réalisation
Analyse systémique Simulations et hypothèses de solutions	1	47	Comment fabriquer un bateau à moteur	8 "
	2	62	S'il n'y avait pas de blé?	7 "
	7	138	À quoi sert le lait?	7 "
	1	39	Comment fonctionne un moteur de tracteur ou d'auto?	9 "
	1	42	As-tu déjà semé une graine?	7 "
Explications techniques	5	106	Qu'est-ce que la volaille?	7 "
	6	120	Comment fabriquer un fil	7 "
	9	166	Qu'est-ce qu'un cheval?	5 "
	1	47	Comment fabriquer un bateau à moteur	7 ans
	2	63	Comment fabriquer de la colle	7 "
	2	63	Comment fabriquer de la pâte à modeler	1re façon 7 ans 2e façon 8 ans
	3	77	Une recette pour faire de la salade	8 "

Votre enfant aura plus ou moins besoin de vous pour lire les consignes ou faire ces jeux. N'hésitez pas à le soutenir dans sa démarche afin qu'il ne se décourage pas.

4) Le texte destiné aux adultes

À la fin de chaque chapitre, le texte destiné aux adultes propose certains moyens pour aider l'enfant dans sa lecture, donne des renseignements complémentaires, suggère des sujets de discussion pouvant intéresser l'enfant après sa lecture et apporte certaines informations utiles à la réalisation de jeux de mise en situation.

Les objectifs pédagogiques du volume

Les objectifs que nous visons sont les suivants:

1) Encourager l'enfant à accéder rapidement à un niveau de lecture supérieur à celui auquel il est parvenu jusqu'à présent, grâce aux textes hiérarchisés par niveaux de difficulté.

2) L'amener à faire des liens entre les différents temps forts d'un récit (la mise en situation et la problématique, l'action et enfin le résultat).

3) Aiguiser la curiosité de l'enfant et l'inciter à avoir une démarche critique face à un problème.

4) Lui permettre d'analyser les facteurs nécessaires à la compréhension des histoires à l'aide des jeux-questionnaires.

5) L'aider à faire une synthèse: grâce aux trois images rassemblées sur une même page à la fin de chaque histoire.

6) Lui faire vivre des expériences correspondant à son niveau en rapport avec les histoires qu'il aura lues préalablement.

Qui sont nos amis, dans le livre?

Comment lire chaque histoire?
— D'abord, tu regardes les images.
— Puis tu lis ce qui est écrit au-dessus des images.
— Enfin, tu lis ce qui est écrit à gauche des images.

Si les textes sont trop longs ou trop difficiles, fais-toi aider par quelqu'un qui sait bien lire.

Veux-tu jouer?

Après chaque histoire, tu pourras lire toutes sortes de jeux et choisir ceux qui t'intéressent le plus. N'hésite pas à te faire aider pour bien les comprendre et être capable de les expliquer à tes amis.

Bonjour, nous sommes en vacances chez grand-père et grand-mère. Nous habitons durant l'année dans une ville très loin de chez eux; nos parents y sont restés et nous, nous avons pris l'avion pour venir rendre visite à nos grands-parents pendant un mois. Une hôtesse s'est occupée de nous au cours du voyage jusqu'à ce que nous retrouvions grand-papa et grand-maman à l'aéroport.

Tu peux lire l'histoire de notre voyage dans le livre: *Quatre enfants découvent le monde des adultes.*

Sylvie — **Connais-tu mon nom? Je m'appelle Sylvie et mon frère, Éric.**

Sylvie — Notre grand-père et notre grand-mère sont un peu vieux mais ils s'occupent très bien de nous et ils sont très gentils.

Éric — Moi, je les aime bien parce qu'ils nous apprennent beaucoup de choses chaque fois que nous venons les voir. Quand ils nous parlent de leur vie ou quand ils nous expliquent comment ils occupent leur temps, on dirait chaque fois qu'ils nous racontent une histoire merveilleuse.

Sylvie — Moi, j'aime bien grand-père parce qu'il nous montre parfois ses collections; il m'explique comment était la vie autrefois et comment elle est aujourd'hui.

Éric — Moi, j'aime bien grand-mère parce qu'elle fait de la bonne cuisine. Elle me montre parfois comment préparer certains plats.

Grand-mère — Ne nous faites pas trop de compliments, nous allons rougir.

Grand-père — Nous aussi, nous vous aimons bien parce que vous êtes curieux; vous cherchez toujours à savoir le pourquoi, le comment des choses.

Éric — **Nous sommes déjà chez mon grand-père et ma grand-mère.**

Éric — Avez-vous toujours habité la campagne?

Grand-mère — Non, nous étions comme votre papa et votre maman; nous habitions la ville. À présent, nous préférons la campagne; c'est plus calme.

Grand-père — Moi, j'aime cultiver la terre et j'aime bien vivre avec mes animaux.

Grand-mère — Nous avons des moutons, des vaches et des poules.

Grand-père — Nous n'avons pas une grosse ferme; ce n'est pas vraiment pour gagner de l'argent que nous cultivons, c'est plutôt pour être actifs et ainsi nous maintenir en bonne santé.

Sylvie — Avez-vous beaucoup d'amis?

Grand-père — Oui, beaucoup: le boulanger, le boucher, le charcutier, l'épicier, les agriculteurs de la région, ceux à qui nous donnons des légumes et tous ceux à qui nous rendons des services.

Grand-père — **Nous habitons la campagne; nous avons invité Éric et Sylvie pour les vacances.**

— 1 —
Sylvie conduit le
tracteur de grand-père

— As-tu déjà vu un vrai tracteur?

— Es-tu monté dessus?

— As-tu visité une ferme?

— As-tu déjà fait pousser des plantes?

Sylvie — Comment dois-je faire pour démarrer?

Grand-père — Tu tournes la clé du démarreur; ensuite, tu appuies sur la pédale d'embrayage et en même temps tu pousses sur le levier de vitesse, cette sorte de bâton devant toi. Voilà, tu viens d'enclencher une vitesse; retire ton pied de la pédale d'embrayage et appuie légèrement sur l'accélérateur.

Sylvie — Le tracteur avance! Pourquoi va-t-il si lentement?

Grand-père — Un tracteur, ce n'est pas comme une automobile: ton papa utilise une auto à son travail ou pour la promenade. Les autos servent à transporter des passagers; c'est pour cette raison qu'elles vont vite.

Moi, j'ai un tracteur pour labourer, faucher mon pré, transporter des chargements de foin, de blé ou de betteraves. Les tracteurs servent à tirer des machines agricoles ou des chargements qui pèsent très lourd. C'est pour cette raison qu'ils vont lentement.

Grand-père — Un tracteur, c'est comme une auto. Tu démarres, tu accélères, tu freines.

Sylvie — Pourquoi faut-il labourer?

Grand-père — Pour pouvoir semer. As-tu déjà semé des graines dans un pot?

Sylvie — Oui, avec maman. Elle a pris de la terre du jardin; elle a écrasé toutes les mottes avec ses mains; à la fin, on aurait dit du sable. Elle a mis ensuite une sorte de poudre.

Grand-père — C'était de l'engrais.

Sylvie — Elle a mélangé le tout comme si elle voulait faire un gâteau; après, elle a semé des graines et maintenant, elle a de belles fleurs sur son balcon.

Grand-père — Moi, je fais le même travail. D'abord, je retourne la terre avec une charrue puis avec d'autres machines que j'accroche à mon tracteur, je brise les mottes et j'épands de l'engrais. Quand la terre est prête, comme dans le pot de ta maman, je sème avec une autre machine qui s'appelle un semoir.

Grand-père — **Regarde, la charrue retourne la terre.**

Grand-père — Mon champ est grand, ça nous a pris beaucoup de temps pour le labourer.

Sylvie — Est-ce que tu laboures ton jardin aussi?

Grand-père — Je fais le même travail dans mon jardin, mais ça me prend beaucoup moins de temps parce qu'il est petit.

Sylvie — Maman fait le même travail quand elle sème ses fleurs dans ses pots, mais ça ne lui prend que 5 ou 10 minutes.

Grand-père — Ce qui change, c'est le temps qu'on y met, et aussi le matériel qu'on utilise:

— Pour mon champ, je me sers d'une grosse charrue.

— Pour mon jardin, je me sers d'une bêche.

— Pour ses pots, ta maman se sert de ses doigts.

Sylvie — Moi aussi, je veux cultiver.

Grand-père — Quand tu retourneras dans ton pays, demande à ta maman de te donner des pots de terre. Tu pourrais semer des plantes aromatiques comme du persil, de la ciboulette, du basilic ou du thym; elles serviraient à aromatiser les plats que ta maman cuisine et elles parfumeraient toute ta maison.

Sylvie — J'ai labouré tout le champ, mais grand-père m'a beaucoup aidée.

Jeu questionnaire

À partir de 5 ans

1. Où sont grand-père et Sylvie?
2. Sur quelle machine Sylvie est-elle assise?
3. Un tracteur a combien de roues?
4. Que fait Sylvie dans la deuxième et la troisième images?

À partir de 7 ans

5. À quoi ressemble un tracteur?
6. Que fait-on avec la charrue?

À partir de 8 ans

7. Pourquoi un tracteur avance-t-il lentement?

À partir de 9 ans

8. Qu'est-ce qu'un tracteur peut tirer?
9. Qu'ajoute-t-on à la terre pour que les plantes poussent mieux?
10. Quelles sortes de plantes grand-père conseille-t-il à Sylvie de planter quand elle retournera dans son pays?

Veux-tu jouer?

Premier jeu (à partir de 7 ans)

Ça se ressemble, mais c'est différent:
une bicyclette et un tracteur

Qu'est-ce qui te fait penser qu'un tracteur et une bicyclette se ressemblent? Réfléchis.

Tu as peut-être trouvé plusieurs réponses. À présent, lis ou fais-toi lire les lignes suivantes:

Un tracteur et une bicyclette se ressemblent parce que:

1. Ce sont des véhicules.
2. Les deux roulent.
3. Ils ont un siège.
4. Ils servent à se déplacer.

Peut-être as-tu pensé toi-même à d'autres ressemblances; dans ce cas, bravo!

Mais il y a aussi beaucoup de différences entre un tracteur et une bicyclette; réfléchis bien. Pour te faciliter la tâche, tu peux chercher dans une revue ou dans un dictionnaire la photographie d'un tracteur pour la comparer avec ta bicyclette ou, si tu n'en as pas, avec celle d'un ami.

Voyons à présent si tu as trouvé les mêmes différences que moi:

1. Un tracteur est beaucoup plus gros et plus lourd.
2. Il a quatre roues au lieu de deux.
3. Il a un moteur qui le rend très puissant.
4. Il peut tirer une charrue ou une charrette. Penses-tu que ta bicyclette pourrait le faire?

Tu peux trouver bien d'autres différences; réfléchis et demande à papa, à maman ou à ton professeur ce qu'ils en pensent.

Avant de terminer le jeu, tu devrais dessiner un tracteur et une bicyclette en montrant bien les ressemblances et les différences entre les deux.

Deuxième jeu (à partir de 9 ans)

Comment fonctionne un moteur de tracteur ou d'auto?

Essaie de trouver des explications dans un dictionnaire ou dans une encyclopédie. Fais-toi aider par une grande personne si cela est nécessaire. Parfois les explications d'un livre sont très compliquées; si tu ne comprends pas, fais-les-toi expliquer.

Je vais essayer à présent de te raconter à ma manière le fonctionnement d'un moteur qu'on appelle "à explosion". Pourquoi moteur à explosion? Parce que l'essence utilisée explose et fait ainsi bouger les pistons.

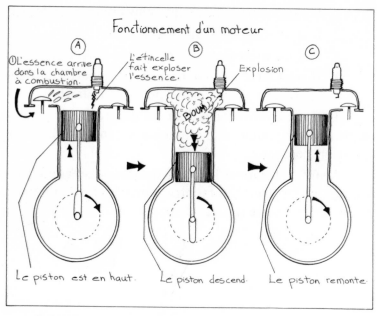

Fonctionnement d'un moteur

(A) ① L'essence arrive dans la chambre à combustion.

(B) L'étincelle fait exploser l'essence. Explosion

BOUM!

(C)

Le piston est en haut.

Le piston descend.

Le piston remonte.

Les pistons descendent et montent: ils descendent quand il y a une explosion; ils montent quand il n'y en a pas. Ils actionnent ainsi un vilebrequin qui tourne et entraîne à son tour les roues de l'auto.

Comment se fait l'explosion? Tu sais que l'essence s'enflamme très rapidement (c'est pourquoi il ne faut jamais jouer avec des allumettes près d'un bidon d'essence); cette essence arrive par un tuyau dans la chambre à combustion qui est une sorte de boîte fermée par le piston. Quand le piston arrive presque au fond de la chambre, la bougie produit une étincelle qui fait exploser l'essence. Le piston est alors expulsé et fait ainsi tourner le vilebrequin qui, lui, fait tourner les roues qui, à leur tour, font avancer la voiture qui te transporte lors d'une promenade.

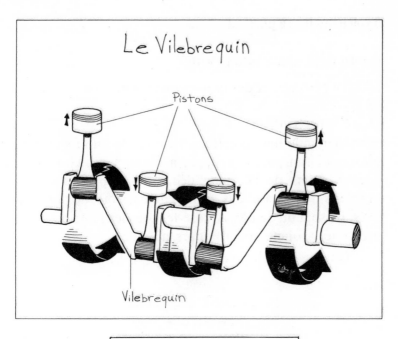

Le Vilebrequin

Pistons

Vilebrequin

L'explosion de l'essence
fait bouger le piston.

↓

Le piston fait tourner
le vilebrequin.

↓

Le vilebrequin fait
tourner les roues.

↓

Les roues font avancer
l'auto.

↓

L'auto te transporte.

Troisième jeu (à partir de 7 ans)

As-tu déjà semé une graine?

Tu peux semer des graines dans ta maison.

Première façon

Demande une assiette, un couvercle ou un verre en plastique transparent à papa, à maman ou à ton professeur. Mets de la ouate dedans et dépose quelques graines sur la ouate: des graines de haricots, de pois chiches, de soja ou de blé. Arrose-les tous les jours de façon à ce que la ouate soit toujours humide.

Que vas-tu voir pousser?

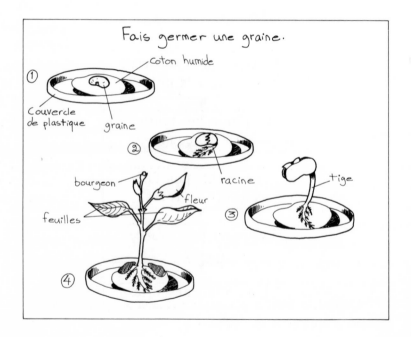

Fais germer une graine.

① Couvercle de plastique — Coton humide — graine

②

③ racine — tige

④ bourgeon — feuilles — fleur

Une graine a une réserve de nourriture et un germe; c'est le germe qui va pousser. Tu vas d'abord voir apparaître une racine couverte de petits poils puis, quelques jours plus tard, une tige avec des feuilles.

Deuxième façon

Tu prends un verre ou un pot de fleurs; tu le remplis de terre et tu y enfonces légèrement quelques graines.

Tu arroses la terre de façon à ce qu'elle soit humide, mais ne l'arrose pas trop sinon tes graines vont pourrir; elles ne pousseront pas.

Dans une semaine environ, tu vas voir apparaître une tige, puis des feuilles sur cette tige.

Quatrième jeu (à partir de 6 ans)

Pépins ou noyaux?

Certains fruits ont des pépins, d'autres ont des noyaux. Connais-tu plusieurs fruits qui ont des pépins? Je vais t'en nommer quelques-uns et essaie de te souvenir comment sont leurs pépins: une orange, un citron, un pamplemousse; une pomme, une poire, un raisin.

Connais-tu plusieurs fruits qui ont des noyaux? En voici quelques-uns; essaie de te souvenir comment est leur noyau: une prune, une pêche, un abricot.

Pourquoi appelle-t-on les uns des pépins et les autres des noyaux, en as-tu une idée?

Quand le fruit a plusieurs graines à l'intérieur, ces graines s'appellent des pépins.

Quand le fruit n'a qu'une graine à l'intérieur, cette graine s'appelle un noyau.

Souvent les noyaux sont plus gros et ils ont une enveloppe plus épaisse. As-tu déjà cassé un noyau de prune ou de cerise? Il y a une amande à l'intérieur. Certaines amandes sont bonnes à manger, d'autres sont amères.

Cinquième jeu (à partir de 7 ans)

Quelles graines connais-tu?

Tu connais sûrement plusieurs sortes de graines parce que tu en manges plusieurs fois par jour, peut-être sans le savoir. Tu peux te faire aider par un adulte pour en trouver.

En voici quelques-unes:

— Du riz, du maïs, du blé.

Le blé, par exemple, est transformé en farine; tu en manges dans le pain et les gâteaux.

Toutes ces graines poussent en épis sur des plantes qui se ressemblent; elles sont de la même famille; ce sont des graminées.

— Des haricots frais, des pois, des fèves, des lentilles, des haricots secs, des pois secs.

Les haricots, par exemple, se mangent frais; si on les laisse sécher, on peut enlever les graines des cosses et l'on a ainsi des haricots secs; de même pour les pois.

Toutes ces graines poussent sur des plantes qui se ressemblent; elles sont de la même famille; ce sont des légumineuses.

Regarde dans le dictionnaire les mots graine, graminée, légumineuse. Vérifie si tu retrouves ce que je viens de t'expliquer. Regarde bien les illustrations.

Sixième jeu (à partir de **9 ans**)

Un moteur et une plante se ressemblent-ils?

Est-ce possible qu'un moteur et une plante se ressemblent?

L'un est en métal alors que l'autre est de la matière vivante, composée de cellules.

L'un fait tourner des roues par exemple alors que l'autre reste sur place et n'actionne rien.

L'un garde toujours la même taille alors que l'autre grandit, vieillit et meurt un jour.

Pourtant un moteur et une plante ont des ressemblances: ils fonctionnent tous les deux grâce à un réservoir qui garde de l'énergie: l'un a un réservoir d'essence, l'autre a une réserve de nourriture (regarde le dessin du troisième jeu, page 42).

Cette réserve d'énergie va être distribuée en petite quantité pour faire marcher le moteur ou pour faire pousser la plante.

Tous les deux font brûler l'énergie qu'ils reçoivent:

— Dans le moteur, l'essence brûle en explosant grâce à l'étincelle de la bougie, et elle dégage de la chaleur. Pour le vérifier, mets ta main à la sortie du tuyau d'échappement de la voiture de papa quand le moteur est en marche. N'approche pas trop la main, tu te brûlerais.

— Dans la plante, ce sont les cellules qui brûlent les réserves qu'elles reçoivent; c'est pareil pour les cellules de notre corps. Veux-tu contrôler si ton corps produit de la chaleur? C'est facile: tu prends un thermomètre comme lorsque tu es malade et tu vérifies la température de ton corps. Elle doit être d'environ 37 degrés Celsius, ce qui est beaucoup plus chaud que la température de l'endroit où tu te trouves à présent. Ce sont les cellules de ton corps qui brûlent de l'énergie et produisent ainsi de la chaleur; de même pour les plantes.

Tu le vois, un moteur et une plante se ressemblent parce qu'ils ont tous les deux une réserve d'énergie qu'ils dépensent lentement en la brûlant.

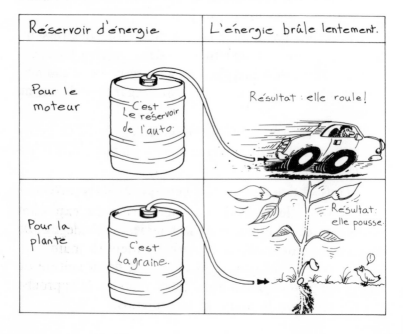

Réservoir d'énergie	L'énergie brûle lentement.
Pour le moteur	C'est Le réservoir de l'auto.	Résultat : elle roule!
Pour la plante	C'est La graine.	Résultat: elle pousse.

Comment fabriquer un bateau à moteur

Lis bien le sixième jeu pour bien comprendre comment va fonctionner ton moteur.

Le réservoir d'énergie, c'est un élastique; le moteur, c'est une hélice qui tourne dans l'eau pour faire avancer le bateau.

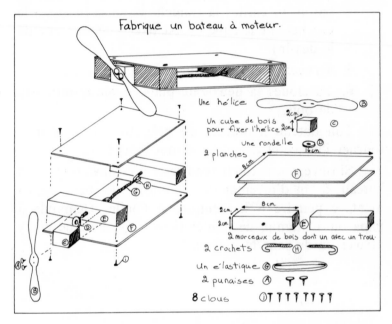

Fabrique un bateau à moteur.

L'hélice doit être faite en aluminium ou avec un couvercle de boîte de conserve. Demande à papa ou maman de t'aider pour la découper.

Comment monter ton bateau?

1. Tu fixes ton hélice sur un cube en enfonçant les deux punaises.

2. Tu cloues les deux bâtons aux extrémités d'une planche.

3. Tu visses le crochet court au milieu du bâton qui n'a pas de trou.

4. Tu fais passer le long crochet dans le trou du bâton, tu enfiles la rondelle et enfin tu visses le crochet sur le cube où est fixée l'hélice (regarde le dessin).

5. Tu accroches l'élastique aux deux crochets.

6. Tu cloues la deuxième planche sur le morceau de bois.

Ton bateau à moteur est prêt; tu n'as plus qu'à tourner l'hélice et à mettre le tout dans l'eau.

Si tu veux que ton bateau ressemble davantage à un bateau, à toi d'inventer des solutions. Tu peux également le peindre à la peinture à l'huile. Demande à papa ou à maman de t'aider si tu as peur de ne pas y arriver ou de salir la maison.

Comment aider votre enfant à comprendre et à exploiter l'histoire

Votre enfant, selon sa connaissance de la langue écrite, pourra comprendre le premier niveau de lecture (les images), le deuxième (le texte au-dessus des images) et même le troisième (le texte des pages de gauche); nous vous proposons de l'aider à accéder à un niveau supérieur s'il est arrêté à l'un des deux premiers. Selon le cas, ce support consiste à faciliter sa compréhension des images, à lui lire les mots difficiles ou le texte en entier et à lui apporter des informations complémentaires s'il le désire. Nous vous suggérons quelques types d'interventions, classées ci-dessous selon les trois niveaux de lecture.

Les images

Plusieurs éléments sont en cause pour comprendre la chronologie des événements entre les trois images: les personnages (grand-père et Sylvie), le décor (la terre labourée entre autres). Si votre enfant a cinq ou six ans, vous pouvez l'aider au besoin à mieux percevoir les images en lui posant les questions suivantes:

— Qui est dans le dessin?

— Comment s'appelle la machine? (le tracteur)

— À quoi sert-elle?

— Où se trouve le tracteur? (dans le champ)

— Que font Sylvie et grand-père?

À la suite de ces questions, il serait bon de bien montrer les changements entre les trois images afin que l'enfant perçoive la chronologie des événements.

Le texte au-dessus des images

Les textes apportent un complément d'information à l'histoire au moyen d'un dialogue entre Sylvie et son grand-père.

L'objectif de lecture est de fournir à l'enfant un texte contenant un vocabulaire technique adapté à son niveau de connaissance.

Le texte des pages de gauche

Chaque page prolonge l'histoire et elle développe un thème spécifique:

— Différence entre un tracteur et une automobile, page 30.

— Analogie entre la culture en pot et celle pratiquée dans les champs, page 32.

— Analogie et mise en évidence des différences entre la culture maraîchère et la culture extensive, page 34.

Chacun de ces textes apporte de l'information à l'enfant et constitue un thème de réflexion dont vous pouvez discuter avec lui à partir de l'âge de sept ans.

Différence entre un tracteur et une automobile

Ce texte poursuit deux objectifs principaux: l'un par rapport à la lecture proprement dite, l'autre, par rapport à un raisonnement logique:

1. Nous fournissons à l'enfant le vocabulaire adapté à la technologie des véhicules automobiles (changement de vitesse, pédale d'embrayage, accélérateur...).

2. Nous lui fournissons des arguments permettant de bien situer les différences entre une automobile et un tracteur. Cette argumentation logique que l'on retrouvera dans des lectures ultérieures se prolongera aussi dans les jeux proposés après l'histoire, page 38.

**Analogie entre la culture en pot et
celle pratiquée dans les champs**

Ce texte poursuit lui aussi deux objectifs: l'un de lecture, l'autre d'information par opposition entre deux procédés.

1. L'objectif de lecture est de fournir un vocabulaire adapté aux techniques agricoles.
2. Nous voulons bien faire percevoir les différences et les ressemblances entre l'agriculture et la culture en pot.

**Analogie et mise en évidence des différences entre la
culture maraîchère et la culture extensive**

Nous essayons avant tout de fournir à l'enfant un modèle de raisonnement l'amenant à faire des classifications. Nous savons qu'en mathématiques modernes il apprend à faire des classements d'objets selon leur forme, leur couleur, leur taille, leur poids, etc. Nous voulons l'amener à faire ce même raisonnement afin qu'il soit capable de classer des types d'activités en les organisant selon des critères hiérarchisés. Comme prolongement de cette lecture, nous vous proposons de discuter avec votre enfant, par exemple des types d'activités que fait chacun des membres de la famille. Vous pourriez distinguer ce qui est commun à chacun: se lever, s'habiller, manger, etc., et ce qui vous distingue: pour l'un, aller à l'école, pour l'autre, aller au travail, etc. Tous ces jeux de ressemblances et de différences amèneront votre enfant à faire spontanément un raisonnement plus logique lorsqu'il se trouvera en face de problèmes à résoudre.

Comment aider votre
enfant dans ses jeux

L'objectif des jeux est semblable à celui que nous visons pour la lecture. Nous voulons amener l'enfant à faire des raisonnements logiques: voir les ressemblances, les différences, faire des classifications, des analogies, des généralisations.

Nous vous invitons à lire avec votre enfant le texte de chacun des jeux et à discuter avec lui chaque fois que cela est nécessaire, ceci l'aidera dans son raisonnement. Nous vous suggérons également de l'encourager et parfois de l'aider dans ses démarches, comme par exemple, lorsqu'il consulte un dictionnaire.

Le premier jeu est une analyse des ressemblances et des différences entre un tracteur et une bicyclette; nous vous proposons d'intervenir le moins possible dans cette activité, si ce n'est pour faciliter à votre enfant la lecture du texte et la recherche dans un dictionnaire.

Le deuxième et le troisième jeux sont des explications techniques sur le fonctionnement d'un moteur et sur la germination. Le troisième propose de plus une expérimentation qui se prolongera sur plusieurs semaines. Nous vous proposons pour ces deux activités de fournir quelques explications complémentaires si vous le jugez nécessaire.

Le quatrième et le cinquième jeux sont des activités de classification; votre aide pourra consister principalement à faciliter la lecture de votre enfant et à l'aider à mieux comprendre les textes.

Le sixième jeu est une analyse systémique. Notre objectif consiste à encourager l'enfant à raisonner à son niveau sur des systèmes analogues (ici, biologique et physique).

Le septième jeu est une application de l'analyse proposée dans le sixième. Il vise à ce que l'enfant se familiarise avec une fiche de montage comme on en trouve souvent dans les boîtes d'articles préfabriqués à monter soi-même.

— 2 —
Grand-père fait
moissonner son blé

— As-tu déjà vu un champ de blé?

— As-tu déjà vu une moissonneuse dans un champ de blé, à la télévision ou encore dans un livre?

— Sais-tu à quoi sert une moissonneuse?

— Sais-tu tout ce qu'on peut faire avec du blé?

Sylvie — Comment sais-tu que ton blé est mûr?

Grand-père — Je prends un épi, je le frotte entre les mains, je souffle et s'il ne reste plus que les grains de blé, c'est qu'il est mûr. Goûte, tu mastiques les grains un moment et ça ressemble à une de ces gommes que tu achètes parfois. Mais celle-là est une invention de la nature; elle a un bon goût et elle ne sent pas la fausse cerise, le faux raisin ou la fausse pomme.

Sylvie — Hum, tu as raison, c'est bon! Comment la nature a-t-elle inventé le blé?

Grand-père — Il y a des milliers d'années, le blé était une plante sauvage comme toutes les autres. Un jour, des hommes ont eu l'idée de récolter les graines et de les semer toutes ensemble dans un champ. Puis ils ont mangé une partie de la récolte et, l'année suivante, ils ont semé ce qu'ils avaient précieusement conservé; et ainsi de suite jusqu'à nos jours. Peu à peu, on a amélioré sa qualité en faisant des mariages de plusieurs sortes de blé. Maintenant, on a de plus gros épis. C'est grâce à la nature qu'on a du blé mais aussi à l'intelligence de l'homme qui sait le cultiver.

Grand-père — **Le blé est mûr, il faut le faire moissonner.**

Sylvie — Comment s'appelle cette machine?

Grand-père — Une moissonneuse-batteuse.

Sylvie — Elle est très grosse cette machine; on dirait une vraie usine ambulante.

Grand-père — Tu as raison; autrefois, il me fallait travailler une semaine pour obtenir le même résultat; maintenant, en une journée, tout est terminé.

Sylvie — Comment faisais-tu avant?

Grand-père — D'abord, je fauchais mon blé, puis je le mettais en gerbes; ensuite j'en faisais un gros tas devant la ferme. Une moissonneuse passait de ferme en ferme pour séparer le blé de la paille. On avait ce jour-là beaucoup de travail et la machine faisait tellement de poussière qu'on en retrouvait même dans notre lit. Mais ça sentait bon et c'était un jour de fête à la maison. Ta grand-mère faisait le meilleur repas de l'année et tout le monde chantait.

Grand-père — **Regarde, le blé est coupé par la moissonneuse-batteuse.**

Sylvie — Maintenant, qu'est-ce que tu vas faire de ton blé?

Grand-père — Je vais en garder une partie pour les poules et le reste, je vais le vendre au meunier qui va le transformer en farine dans son moulin.

Sylvie — Un moulin à vent comme dans les histoires?

Grand-père — Les moulins se sont bien modernisés. Tu as raison; autrefois, une grosse roue de pierre écrasait le blé; elle était actionnée par les ailes d'un moulin à vent ou par une grande roue qui tournait grâce au courant d'une rivière. Maintenant, ce sont des moteurs électriques qui actionnent des broyeurs. Le blé est déchiqueté et il passe dans des tamis; la farine sort de ces sortes de passoires et elle est récupérée dans des sacs ou entreposée dans des silos.

Sylvie — Puis le boulanger et le pâtissier viennent en acheter pour fabriquer du pain et des gâteaux.

Grand-père — **La paille est mise en bottes. Les oiseaux viennent picorer les graines qui sont tombées.**

Jeu questionnaire

À partir de 5 ans

1. Comment s'appelle la grosse machine qui coupe le blé?
2. Qu'est-ce que Sylvie a dans les mains dans la deuxième image?
3. Que viennent faire les oiseaux quand le blé a été coupé?

À partir de 7 ans

4. Que fait la machine avec la terre?
5. Où vont les grains de blé?

À partir de 8 ans

6. Comment moissonnait-on le blé autrefois, avant l'invention des moissonneuses-batteuses?
7. Que fait grand-père de son blé?
8. Comment étaient les moulins d'autrefois?
9. Comment sont-ils à présent?
10. Où la farine est-elle entreposée?

Veux-tu jouer?

Premier jeu (à partir de 7 ans)

S'il n'y avait pas de blé

Imagine qu'un jour le blé semé par les agriculteurs ait une maladie. Il n'y aurait plus de blé. Réfléchis à tout ce que tu ne pourrais plus manger.

Tu sais que le blé peut être transformé en farine. Sans farine il n'y aurait plus de pain ni de gâteaux.

Pense à toutes les sortes de pains; en connais-tu plusieurs? Essaie de les dessiner.

Pense à toutes les sortes de gâteaux; tu dois en manger de toutes les tailles, de toutes les formes et de tous les goûts. Essaie de les dessiner avec beaucoup de couleurs.

Il existe aussi une variété de blé que l'on appelle du blé dur; il sert à faire de la semoule (couscous) et des pâtes alimentaires (spaghetti, macaroni, cannelloni).

Il ne faut pas oublier non plus toutes les variétés de céréales que tu prends peut-être pour ton petit déjeuner.

S'il n'y avait plus de blé, tu ne pourrais plus rien manger de tout cela.

Le blé ne sert pas seulement à te nourrir; on en donne aussi aux animaux, aux poulets par exemple. S'il n'y avait plus de blé, tu n'aurais plus de poulet à manger.

Deuxième jeu (à partir de 8 ans)

Comment fabriquer de la colle

Tu mets un verre d'eau et une cuillerée à soupe de farine dans une casserole. Tu fais chauffer ce mélange lentement, tout en tournant avec une cuillère. Le liquide va épaissir en cuisant. Tu le laisses refroidir avant de t'en servir.

Si tu veux conserver la colle plusieurs jours, incorpore une pincée de sel dans l'eau avant de faire cuire le mélange et mets la colle dans le réfrigérateur après t'en être servi.

Troisième jeu

Comment fabriquer
de la pâte à modeler

Il y a plusieurs façons.

Première façon (à partir de 7 ans)

Tu prends un gros pot de plastique dans lequel tu verses:

— un verre de farine,

— la moitié d'un verre de sel,

— quelques gouttes de savon liquide à vaisselle.

Tu verses lentement, en remuant, la moitié d'un verre d'eau, puis tu pétris la pâte avec tes mains.

Deuxième façon (à partir de 9 ans)

Tu prends une casserole dans laquelle tu verses:
— un verre de farine,
— la moitié d'un verre de sel,
— trois cuillerées d'huile.

Tu mélanges bien, tout en versant un verre d'eau tiède. Pour colorer ta pâte, tu peux y ajouter un colorant alimentaire.

Tu fais chauffer doucement en remuant jusqu'à ce que ta pâte ait une bonne consistance.

Ces deux sortes de pâte à modeler sèchent en un ou deux jours. Tu peux ainsi fabriquer: un bonhomme, un cendrier, une auto ou autre chose.

Tu peux ensuite les peindre avec de la gouache, puis les vernir si tu veux qu'ils gardent un bel éclat.

Comment aider votre enfant à comprendre et à exploiter l'histoire

Les images

Elles sont du même type que dans l'histoire précédente. Leur lien est chronologique; il est matérialisé par le blé non moissonné dans la première image, moissonné à moitié dans la deuxième et totalement dans la troisième.

On pourra revenir sur les images de l'histoire précédente et les comparer en faisant percevoir à l'enfant qu'elles ont certains points communs: les personnages (le grand-père et Sylvie), la chronologie des événements (au début, au milieu et à la fin du labour et de la moisson). Ce type d'activité est très enrichissant pour un enfant de cinq à sept ans à condition qu'elle soit dirigée par un adulte.

Le texte des pages de gauche

Les thèmes développés en complément de l'histoire proprement dite sont les suivants:

— Origine du blé, page 54.

— Comparaisons entre la récolte du blé autrefois et aujourd'hui, page 56.

— Utilisation du blé, page 58.

L'objectif du texte est d'informer l'enfant sur l'évolution technologique dans la culture et la transformation du blé. Nous vous recommandons de poursuivre la démarche d'information de votre enfant en l'invitant à consulter certains ouvrages à une bibliothèque, en demandant par exemple à la bibliothécaire de sortir les volumes traitant du sujet.

Comment aider votre
enfant dans ses jeux

Le premier jeu est une simulation. Il invite l'enfant à réfléchir sur ce qui se passerait s'il n'y avait plus de blé. Nous vous proposons de discuter avec votre enfant de ce sujet et de lui apporter toute l'information qu'il vous demande. Les autres jeux portent sur des techniques de fabrication; nous proposons plusieurs activités qui demandent une supervision des parents, particulièrement lorsqu'il s'agit d'utiliser une cuisinière. L'objectif de ces jeux est de faire exécuter par l'enfant une série de consignes hiérarchisées permettant de parvenir à un résultat désiré.

— 3 —
Grand-père
cultive son jardin

— As-tu un jardin potager chez toi?

— As-tu déjà aidé quelqu'un à cultiver un jardin?

— Saurais-tu comment procéder pour faire pousser des légumes?

— À quel moment penses-tu que les légumes d'un jardin sont prêts à être mangés?

Sylvie — Qu'est-ce que tu as semé au printemps?

Grand-père — Des carottes, des haricots, des fèves, des petits pois, des concombres et des choux.

Sylvie — Pour les salades, les tomates et le céleri, comment as-tu fait?

Grand-père — J'ai acheté des plants chez un maraîcher.

Sylvie — Qu'est-ce que tu as acheté? Chez qui?

Grand-père — Des plants, ce sont de toutes petites plantes que l'on a obtenues en les semant et que l'on replante dans un jardin. Un maraîcher, c'est un monsieur qui vend des plants de plusieurs sortes de légumes; il les a fait pousser dans des serres. Je pense aussi que je dois t'expliquer ce que sont des serres: ce sont des sortes de maisons en vitre que l'on chauffe quand il fait froid pour que les plantes poussent plus vite.

Sylvie — Qu'as-tu fait ensuite avec tes plants?

Grand-père — Je les ai plantés dans mon jardin et regarde, ils ont vite poussé: j'ai des salades depuis le mois de mai et je vais te faire cueillir la première tomate de mon jardin.

Sylvie — Elle est grosse et toute rouge!

Grand-père — Le matin, j'arrose mon jardin. L'après-midi, je récolte mes légumes. Le soir, je vais voir pousser mes légumes.

Grand-père — En juillet et en août, j'ai de bons gros légumes; tout vient en même temps: les haricots, les petits pois, les tomates. On en donne aux amis, on en vend au magasin de la ville et grand-mère fait des conserves (lis, p. 83).

Sylvie — Quels légumes récoltes-tu en automne?

Grand-père — Des pommes de terre, du céleri, des oignons, des carottes, des choux.

Sylvie — Et en hiver?

Grand-père — Je récolte tout avant l'hiver parce que j'ai peur du gel: s'il fait trop froid, les légumes meurent. À la fin de l'automne, je les mets dans ma cave pour qu'ils soient au frais et à l'abri de la lumière. Je peux aller encore en chercher au printemps si je ne les ai pas tous mangés. De cette façon, j'ai des légumes presque toute l'année.

Grand-père — Je sème au printemps, je récolte en été et je laboure la terre en automne.

Grand-père — Tu pourras venir cueillir toutes les fraises que tu voudras. Le matin, elles sont très bonnes parce qu'elles sont fraîches et couvertes de rosée.

Sylvie — Qu'est-ce que c'est, la rosée?

Grand-père — Ce sont les petites gouttes d'eau que l'on retrouve sur les feuilles et les fruits le matin à cause de l'humidité de l'air.

Sylvie — Et les melons, comment les fais-tu pousser?

Grand-père — Je les sème au printemps; ils font de très longues tiges qui courent sur le sol; regarde celle-là; tu as vu, elle a au moins trois mètres de long. En juillet, les fleurs apparaissent. Quand elles fanent, en août, un petit melon apparaît au-dessous de chacune. Puis les melons grossissent et en septembre, je récolte ceux qui sont mûrs.

Sylvie — À quoi voit-on qu'ils sont mûrs?

Grand-père — Regarde, celui-là est prêt. On le voit à la queue qui se détache facilement.

Sylvie — J'adore les melons!

Sylvie — **Veux-tu une tomate?**

Grand-père — **Non merci, mais je veux bien une fraise.**

Jeu questionnaire

À partir de 5 ans

1. Où se trouvent grand-père et Sylvie?

2. Que fait grand-père dans la première image?

3. Que fait-il dans la deuxième image?

4. Que fait-il dans la troisième image?

À partir de 7 ans

5. Dans la première image, est-on le matin, l'après-midi ou le soir?

6. Quand grand-père récolte-t-il ses légumes?

7. Quelles sortes de fruits grand-père a-t-il dans son jardin?

À partir de 8 ans

8. Qu'est-ce que grand-père a semé au printemps?

9. Qu'est-ce qu'un maraîcher?

À partir de 9 ans

10. Comment grand-père fait-il pour que ses légumes ne gèlent pas l'hiver?

Veux-tu jouer?

Premier jeu (à partir de 5 ans)

Quels légumes connais-tu?

Tu dois manger souvent des légumes. Serais-tu capable d'en énumérer cinq? Dessine-les ou écris leur nom sur une feuille. Quelqu'un peut t'aider à les écrire.

Si tu n'en trouves pas d'autres, informe-toi auprès de tes parents ou de tes amis et continue la liste en les écrivant ou en les faisant écrire d'une autre couleur.

Tu peux voir à présent ceux que tu avais trouvés toi-même et les autres.

Deuxième jeu (à partir de 7 ans)

Ce légume se mange-t-il cuit ou cru?

Fais quatre colonnes sur une feuille de papier: le nom des légumes, cuits, crus, cuits ou crus.

Noms des légumes	Cuits	Crus	Cuits ou crus

Dans la première colonne, tu inscris les légumes que tu as trouvés dans le premier jeu. Puis, tu fais une croix devant chacun pour indiquer qu'ils se mangent soit seulement cuits, soit seulement crus, soit aussi bien cuits que crus.

Pour remplir les colonnes, si tu hésites, informe-toi; demande à un adulte. Tu peux vérifier aussi en goûtant le légume pour lequel tu hésites.

Troisième jeu (à partir de 8 ans)

Une recette pour faire de la salade

Tu prends un saladier que tu remplis à moitié de salade coupée. Tu verses ensuite la salade dans l'évier pour la laver. Tu l'essores avec une centrifugeuse, un panier à salade que tu secoues ou une serviette. Tu essuies le saladier avec un chiffon, puis tu prépares la vinaigrette: tu commences par une cuillerée d'huile et deux cuillerées de vinaigre, puis tu mets deux ou trois des aromates que préfèrent ceux qui vont manger la salade; tu peux choisir parmi du sel, du poivre, de la moutarde, du thym, du persil, du basilic, de l'ail, de l'oignon, des graines de fenouil.

Quatrième jeu (à partir de 8 ans)

Faire un jardin

Peut-être habites-tu une maison où il y a un jardin. Si tu n'en as pas, tu peux prendre un bac à fleurs dans lequel tu mets de la terre. Tu as donc un emplacement pour faire un jardin. Si quelqu'un dans ta famille a l'habitude de faire un jardin potager, demande-lui des conseils pour savoir quoi semer et planter et quand le faire. Cette même personne pourra te donner un plant de salade ou deux, un plant de tomates. Informe-toi sur la façon de les planter. N'oublie pas d'arroser tes semis et tes plantations. Attention, il est important de ne pas trop arroser. Informe-toi sur la quantité d'eau appropriée et sur le nombre de fois par semaine qu'il convient d'arroser.

Comment aider votre enfant à comprendre et à exploiter l'histoire

Les images

Après s'être arrêté aux deux histoires précédentes, votre enfant de cinq à sept ans pourra facilement retrouver dans cette série des éléments qui lui indiqueront la chronologie des événements; s'il ne les perçoit pas spontanément, nous vous invitons à lui poser une série de questions qui l'amèneront à les trouver: le soleil, l'escargot, l'activité de jardinage du grand-père dans les deux premières images et le repos dans la troisième.

Pour les enfants plus jeunes, ces images peuvent aussi présenter un intérêt du point de vue de l'énumération: un arrosoir, un panier, des légumes, une fraise, un banc, un soleil, des montagnes. On peut également se pencher sur l'action des personnages: grand-père arrose, grand-père cueille des légumes, grand-père se repose, Sylvie montre une fraise.

On voit donc, par cet exemple, trois niveaux possibles de lecture de l'image selon les capacités de l'enfant:

— un niveau d'énumération (l'enfant nomme les éléments);

— un niveau de mise en relation à l'intérieur d'une image (les personnages et leur action);

— un niveau de mise en relation des images entre elles (liens chronologiques ou logiques précisant l'ordre des images).

Le texte au-dessus des images

Il a pour but d'aborder le temps à court terme (une journée) et à long terme (une année). Cette opposition est parfois difficile à percevoir pour un jeune enfant. Nous vous invitons, à la suite de cette lecture, à discuter avec votre enfant de la façon dont il organise sa journée, à voir comment se sont déroulés les douze derniers mois et comment sont planifiés les douze prochains.

Le texte des pages de gauche

Les pages de gauche développent les thèmes suivants:
— Semailles et plantations, page 68.
— Récolte des légumes, page 70.
— Récolte des fruits, page 72.

Ces textes ont pour objectif de fournir à l'enfant une information sur la culture maraîchère dans un vocabulaire approprié.

Si vous avez vous-même une certaine connaissance sur la culture maraîchère, fournissez à votre enfant le maximum d'informations à partir des questions que le texte risque de susciter. Si vos connaissances dans ce domaine sont limitées, invitez votre enfant à s'informer auprès de personnes compétentes de votre entourage en l'aidant à préparer une liste de questions à poser lors de son enquête. Cette première étape de préparation nous paraît intéressante comme démarche, car il arrive souvent que les enfants aient de la difficulté à formuler des questions pour des demandes précises.

Comment aider votre enfant dans ses jeux

Le premier jeu, destiné à de jeunes enfants, est un exercice d'énumération et de classification. Le deuxième jeu, pour des enfants plus âgés, est également un jeu de classification, mais il s'attache davantage à l'analyse des ressemblances et des différences. Nous vous invitons à aider votre enfant à organiser ce type d'activités s'il n'a pas encore neuf ans.

Les deux derniers jeux sont des techniques de fabrication: le troisième une recette de cuisine, le quatrième une invitation à prendre l'initiative de faire un jardin. Ce dernier jeu suppose une démarche de la part de votre enfant auprès de gens qui ont déjà fait un jardin. Nous vous invitons à lui faciliter cette approche et à l'aider selon ses demandes.

— 4 —
Grand-mère
prépare des conserves

— Comment tes parents font-ils pour conserver les aliments?

— Est-ce que tes parents congèlent certains
aliments? Sais-tu pourquoi?

— Sais-tu pourquoi les légumes qu'on achète sont parfois vendus dans des boîtes?

Éric — Tu fais comme la fourmi; tu travailles tout l'été pour avoir des réserves pour l'hiver; pendant ce temps, la cigale chante.

Grand-mère — Qui est la cigale?

Éric — C'est moi; je vais venir crier famine. Pourquoi prépares-tu les conserves?

Grand-mère — J'aime faire de la bonne cuisine tous les jours; alors je m'organise pour avoir mes légumes préférés toute l'année.

Éric — Tu pourrais en acheter dans le centre commercial de la ville.

Grand-mère — Tu as raison, mais l'hiver les légumes coûtent très cher parce que le marchand les fait venir de certains pays chauds. Moi, je préfère utiliser mon argent, par exemple, pour venir te voir dans ton pays.

Grand-mère — **Je prépare des con-serves pour l'hiver.**

Éric — Chez nous, maman conserve aussi des légumes. Elle les achète à la fin de l'été. Elle les plonge dans une marmite à pression quelques minutes; les légumes ne sont pas cuits; elle dit qu'ils sont blanchis. Ensuite, elle les met dans des sacs puis elle les place dans son congélateur.

Grand-mère — C'est une façon de faire moins compliquée que la mienne: moi, je les mets dans des boîtes avec de l'eau un peu salée; ensuite, avec une machine qui s'appelle une sertisseuse, je fixe les couvercles; puis je place les boîtes dans la grosse marmite. Je fais bouillir un certain temps puis je ressors les boîtes et je les étiquette pour ne pas confondre les petits pois avec les épinards ou les haricots.

Éric — Si j'ai bien compris, il y a plusieurs méthodes pour conserver les fruits et les légumes.

Grand-mère — **Je mets les légumes dans les boîtes, puis je ferme les boîtes avec un couvercle.**

Éric — Tu ne vas pas crier famine!

Grand-mère — Tu as raison, mais je ne suis pas comme la fourmi de l'histoire. Chaque année, je fais quelques boîtes de plus afin de pouvoir en offrir à des amis qui habitent la ville. Ils n'ont pas de jardin parce qu'ils logent dans un immeuble. Je fais aussi quelques boîtes en plus pour faire des échanges: par exemple, notre voisin possède un verger de poiriers, des pruniers et des pommiers; moi, je n'en ai pas, mais j'ai des fraisiers et des framboisiers dans mon jardin. Il me donne des boîtes de fruits qu'il récolte et moi, je lui en donne des miennes.

Éric — Chez nous, en ville, c'est différent: papa et maman sont obligés d'acheter tout ce que nous mangeons.

Grand-mère — **Elles sont prêtes; j'aurai des légumes tout l'hiver.**

Jeu questionnaire

À partir de 5 ans

1. Où se trouvent grand-mère et Éric?

2. Combien y a-t-il de boîtes dans la première image?

3. Combien y a-t-il de boîtes dans la deuxième image?

4. Combien grand-mère a-t-elle préparé de boîtes de haricots?

À partir de 7 ans

5. Pourquoi grand-mère fait-elle des conserves?

6. Connais-tu l'histoire de la cigale et de la fourmi?

À partir de 8 ans

7. Pourquoi les légumes coûtent-ils cher l'hiver?

8. Comment grand-mère fait-elle pour conserver les légumes?

9. La maman d'Éric ne procède pas de la même façon. Comment fait-elle?

À partir de 9 ans

10. Pourquoi grand-mère n'est-elle pas comme la fourmi dans l'histoire de la cigale et de la fourmi?

Veux-tu jouer?

Premier jeu (à partir de 7 ans)

Une boîte de conserve à ouvrir

As-tu déjà ouvert une boîte de conserve? Cela demande souvent beaucoup de force. Tu peux te faire aider: tu demandes à une grande personne de tenir la boîte, ce qui va te permettre de tourner la manette de l'ouvre-boîte avec tes deux mains. Si tu essaies tout seul, il peut arriver que la boîte te glisse des doigts et que le jus coule sur le plancher. Attention, maman ou papa risque de se fâcher.

Deuxième jeu (à partir de 8 ans)

Des sucettes glacées

Un congélateur ou le haut d'un réfrigérateur servent à conserver certains aliments: c'est l'eau qui, en devenant glacée, permet la conservation. C'est aussi grâce à la congélation que la crème glacée reste dure. Voilà donc une solution pour obtenir des sucettes glacées:

— Tu verses du jus d'orange dans les bacs à glaçons et tu le laisses congeler pendant une heure environ.

— Tu piques ensuite des morceaux de bois dans chacun des cubes et tu remets le tout à congeler pendant quatre ou cinq heures.

Cette première façon de fabriquer des sucettes est très simple, mais tu auras le désagrément de te mouiller les doigts de jus d'orange lorsque tu les suceras; je te propose donc une autre solution:

— Tu prépares du Jello de la saveur que tu désires, puis tu procèdes de la même manière que pour la première recette; tu n'auras pas ainsi les doigts dégoulinants de jus lorsque tu voudras te délecter de ta sucette.

Troisième jeu (à partir de 5 ans)

Comment fabriquer une boîte à crayons

Les boîtes de conserve peuvent être récupérées pour faire toutes sortes de jeux ou de jouets; en voici un exemple:

— Tu prends une boîte vide; tu vérifies les bords afin d'être sûr qu'ils ne coupent pas les doigts.

— Tu prépares une bande de papier de la hauteur de la boîte; tu fais un dessin dessus, puis tu colles la feuille sur la boîte pour la décorer.

Ta boîte à crayons est terminée.

Quatrième jeu (à partir de 5 ans)

Comment fabriquer une tirelire

Voici une autre idée pour récupérer une boîte de conserve vide:

— Comme pour le troisième jeu, tu vérifies si les bords ne coupent pas les doigts.

— Tu découpes un rond plus grand que le couvercle de la boîte, dans du papier de couleur un peu épais; tu y fais une fente qui pourra laisser passer les pièces, puis tu le colles pour fermer la boîte.

— Tu décores ensuite ta tirelire avec une bande de papier sur laquelle tu as fait un dessin comme dans le troisième jeu.

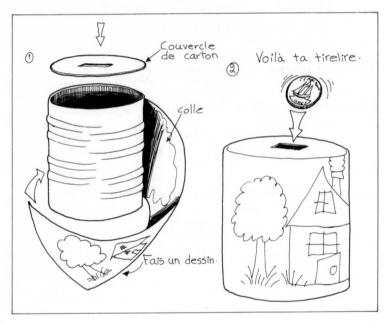

Comment aider votre enfant à comprendre et à exploiter l'histoire

Les images

Si votre enfant ne perçoit pas immédiatement la chronologie des événements entre les trois images, vous pouvez commencer par lui poser des questions facilitant sa lecture paradigmatique (lecture des éléments qui figurent à l'intérieur de chaque image). C'est la comparaison des éléments différents entre les trois images qui va lui permettre de mieux comprendre les liens chronologiques entre chacune. Cette lecture syntagmatique de l'image sera une fois de plus un préalable pour lire le texte au-dessus des images.

Le texte au-dessus des images

Il explique pourquoi grand-mère prépare des boîtes de conserve et comment elle s'y prend. Il apporte donc une information complémentaire qui sera développée dans le texte des pages de gauche.

Le texte des pages de gauche

Les thèmes spécifiques développés dans chacune des pages sont les suivants:
— Pourquoi faire des conserves, page 84.
— Différents types de conservation, page 86.
— Échanges entre voisins, page 88.

Le premier thème fait allusion à la fable de La Fontaine: "La cigale et la fourmi". Si votre enfant ne la connaît pas, nous vous invitons à la lui lire et à la commenter. Pour le deuxième, nous vous proposons, lorsque vous aurez l'occasion d'aller à la boucherie ou dans un grand magasin d'alimentation, de faire visiter à votre enfant les chambres froides. Vous pourrez aussi lui expliquer comment tous ces procédés de conservation des aliments ont été un apport très important dans l'évolution de notre alimentation depuis une cinquantaine d'années (par exemple, possibilité d'acheter des fruits exotiques, de se nourrir de viandes venant de tous les coins du monde). À la suite de la lecture du troisième thème, nous vous suggérons de reprendre la fable de La Fontaine: "La cigale et la fourmi" et de comparer le comportement de la grand-mère avec celui de la fourmi dans l'histoire.

Comment aider votre enfant dans ses jeux

Tous les jeux que nous proposons sont des techniques de fabrication; la plupart demandent, sinon une participation de votre part, du moins une supervision pour que votre enfant n'ait pas de problème au niveau de la compréhension des consignes. Les deux derniers ne sont que quelques exemples sur l'utilisation des contenants servant à la conservation des aliments. Une littérature abondante décrit toutes sortes d'activités possibles avec ce type de matériel; en conséquence, nous ne nous étendrons pas sur ce type de jeux.

— 5 —

Grand-mère
élève des poules

— Sais-tu ce qu'est une basse-cour?

— En as-tu déjà vu une?

— As-tu déjà vu des poules, des dindes, des canards, des pigeons à la ferme, dans un zoo ou à la télévision?

— As-tu déjà essayé de donner à manger à l'un de ces animaux?

Grand-mère — Ne dérange pas ma poule; elle pond un oeuf.

Éric — Je reconnais des poules; les deux qui se disputent là-bas, ce sont des coqs. Ceux qui roucoulent, ce sont des pigeons. Quelles sont les autres sortes de volailles?

Grand-mère — J'ai des canards; eux, ils aiment bien aller dans l'eau; ils se tiennent presque toujours dans la mare où je fais boire les vaches. J'ai aussi des dindes; regarde leur cou, il a plein de peaux qui pendent.

Éric — Comment fais-tu pour attraper des pigeons?

Grand-mère — C'est difficile; je dois grimper au pigeonnier. Comme tu es là, c'est toi qui vas y aller.

Si tu étais à la place d'Éric, aimerais-tu grimper à une échelle pour monter dans le grenier jusqu'au pigeonnier? Attention, il ne faut pas allumer la lumière sinon les pigeons auront peur; ils vont se sauver!

Éric — J'ai déjà essayé avec grand-père. J'ai attrapé un pigeon mais il s'est débattu et j'ai eu peur; alors je l'ai lâché. Maintenant, je saurais comment les capturer.

Éric — **Elle ne mange pas. Pourquoi?**

Grand-mère — Chut, pas de bruit, tu vas les effrayer.

Éric — Pourquoi celle-là a-t-elle plusieurs oeufs sous elle?

Grand-mère — Parce qu'elle les couve. Elle s'assoit dessus pour les réchauffer pendant trois semaines; puis les oeufs éclosent. Regarde celle-là, elle a tous ses petits poussins autour d'elle.

Éric — Chez tes amis, dans la ferme à côté, ce n'est pas comme dans ton poulailler. On dirait une ville habitée par des poules.

Grand-mère — Nos voisins ont 6000 poules pondeuses. Chaque poule est enfermée dans une cage avec un trou d'un côté pour picorer la nourriture et un trou de l'autre côté pour laisser passer l'oeuf qu'elle pond.

Éric — Les pauvres poules, elles passent toute leur vie dans une prison!

Éric — **Regarde la poule; elle a pondu un oeuf.**

Éric — Goûte, un oeuf frais: tu perces l'oeuf aux deux bouts puis tu aspires. Le blanc va d'abord venir; tout à coup, tu auras un autre goût dans la bouche, c'est le jaune.

Ma grand-mère m'a donné une autre recette:

"Tu cognes un oeuf sur le rebord de la table, puis tu écartes la coquille avec tes deux pouces. Tu laisses couler le blanc et tu ne gardes que le jaune dans la coquille. Ensuite, tu mets ce jaune dans une tasse et tu verses une cuillerée de sucre. Tu mélanges en tournant avec une cuillère. Quand le tout est bien mélangé, tu mets une autre cuillerée de sucre et tu mélanges encore, et ainsi de suite jusqu'à ce que tu trouves que ta préparation a un bon goût. Pour cela, tu goûtes avec ton doigt de temps en temps. Quand c'est bon... eh bien tu manges tout... avec une cuillère, pas avec les doigts!"

Éric — J'ai fait un trou dans l'oeuf. Je bois le blanc et le jaune. C'est bon!

Jeu questionnaire

À partir de 5 ans

1. Comment s'appelle la maison des poules?

2. Connais-tu le nom de tous les animaux que tu vois dans la première image?

À partir de 7 ans

3. Que fait la poule dans la deuxième image?

4. Qu'a fait Éric avant de boire l'oeuf?

À partir de 8 ans

5. Comment Éric a-t-il fait pour attraper les pigeons?

6. Combien de temps une poule reste-t-elle sur ses oeufs pour les couver avant qu'ils éclosent?

7. Comment fait-on avec la coquille pour séparer le blanc du jaune dans un bol, sans les mélanger?

8. As-tu bien compris la recette de grand-mère? Saurais-tu l'expliquer à nouveau?

À partir de 9 ans

9. Saurais-tu préparer un oeuf au sucre suivant la recette de grand-mère?

10. As-tu déjà fait cuire un oeuf?

Veux-tu jouer?

Visite d'un poulailler

As-tu déjà vu des poules de près? Demande à papa ou à maman s'ils vont un jour dans un marché de t'en montrer. Peut-être y a-t-il une ferme à côté de chez toi; profites-en pour aller voir les poules. Tu pourrais aussi aller en observer au zoo. Si tu as l'occasion de voir aussi des coqs, compare-les avec les poules. Le coq est le papa, la poule est la maman.

En attendant de les voir de près, essaie d'en dessiner: pense bien à la tête avec son bec et sa crête, au cou et au corps couvert de plumes, aux ailes et aux pattes.

Deuxième jeu (à partir de 7 ans)

Qu'est-ce que la volaille?

Regarde le mot "volaille" dans le dictionnaire.

Voici quelques animaux qui font partie de la volaille:
— les poules et les coqs, les canards, les dindes et les dindons, les pintades, les pigeons.

Regarde tous ces mots dans le dictionnaire et dessine chacun de ces animaux à plumes à partir des illustrations que tu trouveras dans ton dictionnaire ou dans un autre livre.

Troisième jeu (à partir de 5 ans)

Comment décorer des oeufs

Tu demandes à maman ou à papa de faire bouillir des oeufs dans de l'eau pour obtenir des oeufs durs. Attends qu'ils soient assez froids pour ne pas te brûler. À présent, tu les décores soit avec des crayons feutre, soit avec de la gouache et tu ajoutes des cheveux, un chapeau, des parties du visage en les découpant dans du papier de couleur ou de la feutrine. À toi d'inventer des personnages ou des décorations selon ton imagination.

Garde les rouleaux de carton vides de papier de toilette ou d'essuie-tout. Tu les découpes en rondelles et tu obtiens ainsi des supports pour maintenir tes oeufs debout.

Quatrième jeu (à partir de 8 ans)

Une peinture avec des coquilles d'oeufs

Tu fais un dessin sur une feuille de papier ou un carton, puis après avoir écrasé une coquille d'oeuf, tu colles des morceaux sur toutes les lignes que tu as dessinées. Tu attends que la colle sèche, puis tu peins avec de la gouache selon la couleur que tu désires.

Si la peinture des morceaux de coquille est trop difficile, ne t'arrête pas à cet obstacle; voici une solution de rechange. Tu peins un oeuf, puis tu casses la coquille en petits morceaux que tu colles sur les lignes de ton dessin.

Comment aider votre enfant à comprendre et à exploiter l'histoire

Les images

La première est essentiellement descriptive; elle permet à l'enfant de faire une énumération de toutes les sortes d'oiseaux existant dans une basse-cour. La lecture syntagmatique des trois images demande un certain raisonnement de déduction pour situer la chronologie des événements. Si votre enfant ne parvient pas à faire cette démarche spontanément et à l'exprimer clairement, nous vous suggérons de lui montrer ce qui permet de faire les liens, c'est-à-dire la poule et l'oeuf.

Le texte des pages de gauche

Les thèmes développés en complément de l'histoire proprement dite sont les suivants:

— Les animaux de la basse-cour, page 98.

— L'élevage des poules, page 100.

— Une recette de cuisine, page 102.

Le premier thème est avant tout une description des divers animaux d'une basse-cour. Le deuxième met en opposition l'élevage traditionnel et l'élevage extensif et moderne de la volaille. Le troisième décrit les étapes d'une recette très simple qu'un enfant de sept ans pourrait exécuter.

Comment aider votre
enfant dans ses jeux

Le premier jeu demande une participation de votre part; nous vous invitons, non seulement à accompagner votre enfant à un poulailler ou au zoo, mais aussi à l'aider à faire des observations pertinentes et à les commenter afin de faire des comparaisons entre certaines variétés de poules et entre les coqs et les poules.

Le deuxième jeu a pour but d'encourager l'enfant à s'informer en utilisant des instruments tels qu'un dictionnaire ou une encyclopédie. Ces outils ne sont pas toujours à la portée d'un enfant de sept ou huit ans; nous vous invitons en conséquence à aider votre enfant à s'en servir et à comprendre le vocabulaire des explications.

Le troisième et le quatrième jeux sont des techniques de fabrication à partir desquelles votre enfant pourra exprimer son originalité et son esprit d'invention. Nous vous suggérons de l'aider à s'installer afin de prévenir les dégâts.

— 6 —
Grand-père
tond ses moutons

— As-tu déjà vu des moutons et des brebis?

— Sais-tu ce qu'on fait avec la laine des moutons?

— Sais-tu ce qu'on fait avec le lait des brebis?

— Connais-tu l'histoire du loup et de l'agneau?

Grand-père — La laine, c'est un peu comme les cheveux; on la coupe et elle repousse.

Éric — On dirait du coton.

Grand-père — À présent, la laine est sale; si on la lavait, c'est vrai, elle serait presque aussi blanche et aussi douce que du coton.

Éric — Que vas-tu faire de la laine quand tu auras tondu tous tes moutons?

Grand-père — Je vais la vendre à une usine qui va la laver, puis la carder.

Éric — Qu'est-ce que ça veut dire carder?

Grand-père — On va passer la laine dans une machine qui ressemble à un peigne afin de mettre tous les fils dans le même sens. Ensuite, une autre machine va faire des cordes de laine et les mettre en pelotes.

Éric — Qu'est-ce qu'on va en faire après?

Grand-père — Réfléchis; qu'en penses-tu?

Grand-père — **Mes moutons ont trop chaud.**
Éric — **Que vas-tu faire avec tes ciseaux?**

Grand-père — Ce n'est pas un mouton que tu montres; c'est une brebis. Elle donne du lait; c'est une maman.

Éric — À quoi puis-je voir que c'est une brebis?

Grand-père — Regarde, elle a des pis. Si je tire dessus, le lait sort. Je te montrerai comment on trait les vaches; leurs pis sont plus gros et c'est plus facile.

Éric — Combien chacune de tes brebis donne-t-elle de lait?

Grand-père — Environ un litre par jour; c'est assez pour faire un petit fromage.

Éric — Tu ne peux pas manger autant de fromage que tu as de brebis!

Grand-père — C'est vrai, je vends le lait à une laiterie qui fabrique des fromages en usine; on les trouve dans tous les magasins d'alimentation.

Éric — Pourquoi grand-maman ne me donne-t-elle pas du lait de brebis au petit déjeuner?

Grand-père — Parce qu'il a un goût trop fort; le lait de vache est meilleur. Si tu veux y goûter, je t'en donnerai quand j'irai traire les brebis.

Grand-père — Je tonds mes moutons.

Éric — Il est tout nu celui-là à présent.

Éric — Pourquoi ce petit mouton n'a-t-il pas de laine comme les autres?

Grand-père — Parce qu'il est encore trop jeune; c'est un agneau. Il est né après les autres. Sa maman était malade; j'ai dû le nourrir comme un bébé, au biberon. Maintenant, elle est guérie; c'est elle qui lui donne du lait.

Éric — Je l'ai vu aussi manger de l'herbe.

Grand-père — Il est assez grand à présent pour manger aussi de l'herbe et pour suivre le troupeau quand grand-mère le conduit dans la prairie.

Éric — Je sais que les mamans cochons, les truies, ont au moins dix bébés à la fois. Est-ce que les brebis en ont autant?

Grand-père — Non, elles en ont un ou parfois deux, mais pas davantage.

Et voilà, j'ai fini de tondre; tu vas m'aider à mettre la laine dans les sacs.

Grand-père — La laine va servir à
fabriquer des vêtements.

Jeu questionnaire

À partir de 5 ans

1. Que fait grand-père à ses moutons?
2. Comment s'appelle le bébé de la brebis?
3. Que fait le petit agneau dans la troisième image?

À partir de 7 ans

4. À quoi va servir la laine?

À partir de 8 ans

5. À quoi ressemble la laine?
6. Que veut dire grand-père quand il explique qu'on va carder la laine à l'usine?
7. Quelle différence y a-t-il entre un mouton et une brebis?
8. Combien une brebis donne-t-elle de lait chaque jour?
9. Que fait-on avec le lait des brebis?
10. Combien d'agneaux une brebis a-t-elle chaque année?

Veux-tu jouer?

Premier jeu (à partir de 7 ans)

Comment fabriquer un fil

Il te faut des boules de coton comme celles qu'on utilise pour le maquillage. Tu prends quelques brins entre tes doigts, puis tu les tires et tu les roules. Quand ils sont bien torsadés, tu tires encore et tu roules à nouveau, et ainsi de suite, jusqu'à ce que tu aies utilisé toute la boule de coton. Tu en prends ensuite une autre et tu la raccordes en roulant le nouveau brin à la corde que tu as

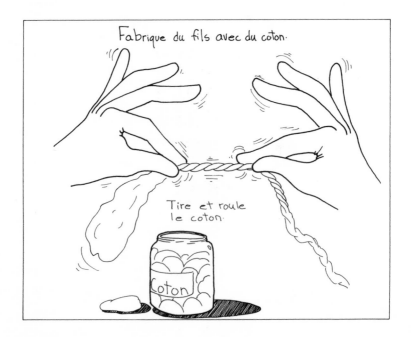

Fabrique du fils avec du coton.

Tire et roule le coton.

Coton

déjà faite. Si tu continues ainsi avec plusieurs boules de coton, tu vas avoir une très longue corde.

Attention, ce que tu as fabriqué n'est pas très solide; tu pourras t'en servir pour faire des décorations comme dans le troisième jeu.

Sais-tu que les usines fabriquent le fil de la même façon. Bien sûr, elles possèdent des machines qui permettent d'aller très vite et de faire un fil très régulier et plus résistant que le tien. Ce fil peut être fabriqué avec de la laine (qui vient des animaux), du coton, du lin, du chanvre (qui sont des plantes), des matières plastiques (qui sont des produits synthétiques fabriqués à partir du pétrole).

Comment fabrique-t-on du fil avec des matières synthétiques? La matière plastique chauffée ressemble

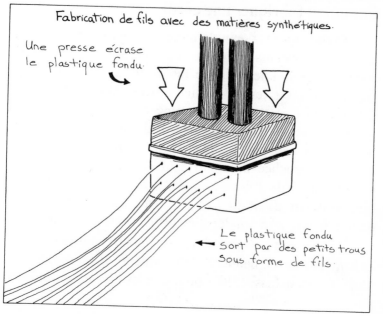

Fabrication de fils avec des matières synthétiques.

Une presse écrase le plastique fondu.

Le plastique fondu sort par des petits trous sous forme de fils.

à du caramel ou à une pâte molle servant à faire des gâteaux. Une machine la fait sortir par des petits trous et l'on obtient ainsi des fils. C'est de la même façon que l'on fabrique des spaghetti à partir d'une pâte de blé dur. Seule la taille des fils change. Va chercher un spaghetti pour regarder sa grosseur. Un fil est tellement fin qu'il est à peine visible. Une machine en prend plusieurs à la fois et les torsade comme tu as fait toi-même dans le jeu, mais elle obtient un fil plus résistant. Prends un fil employé pour coudre et déroule les brins; tu verras qu'il est composé d'un grand nombre de petits fils.

Deuxième jeu (à partir de 7 ans)

Comment fabriquer une corde

Prends un morceau de laine de deux mètres de long environ. Tu réunis les deux bouts en faisant un noeud. Accroche-le à une poignée de porte ou à un clou de façon à pouvoir tendre les deux brins. Insère un crayon à l'extrémité et tourne-le comme une hélice jusqu'à ce que ta corde soit bien torsadée. Rejoins ensuite les deux bouts après avoir enlevé le crayon. Coupe ou retire l'extrémité accrochée à la porte ou à un clou et fais un noeud. Ta corde doit se torsader d'elle-même une fois de plus à partir du milieu. Tu obtiens ainsi une corde à quatre brins, très solide, d'environ trente centimètres.

Après cette expérience, tu peux recommencer en faisant une corde beaucoup plus longue. Il est préférable alors que tu te fasses aider pour que les fils ne s'emmêlent pas.

Fabrique une corde avec de la laine.

Fixe la laine avec un clou.

Tourne à l'aide d'un crayon jusqu'à ce que ta corde soit bien torsadée.

Troisième jeu (à partir de 7 ans)

Sais-tu coudre et tricoter

Si tu as 7 ans, tu peux déjà apprendre la broderie et le tricot. Demande à quelqu'un de ta famille qui sait le faire de te l'apprendre. Il faudra t'armer de patience. Commence par des jeux très simples.

Voici quelques suggestions pour débuter:

— La broderie: tu fais un petit dessin sur un tissu puis tu le brodes avec un fil de couleur en utilisant le point droit (fais-toi expliquer ce point).

— Le tricot: tu exécutes un châle destiné à une petite poupée en prenant cinq ou six mailles de largeur (n'hésite pas à te faire expliquer jusqu'à ce que tu aies bien compris comment tu dois t'y prendre).

Quatrième jeu (à partir de 7 ans)

Un tableau avec de la laine

Prends un tissu de vingt centimètres sur vingt-six centimètres (du drap blanc par exemple) et fais un dessin au crayon. Lorsque tu as terminé, colle de la laine de couleur sur toutes les lignes que tu as tracées. Attends que ton tableau sèche et encadre-le.

Comment l'encadrer? Prends une feuille de papier, si possible cartonnée, de vingt et un sur vingt-sept centimètres. Découpe un rectangle en laissant une bande de

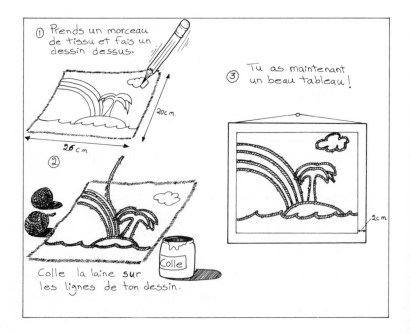

① Prends un morceau de tissu et fais un dessin dessus.

20 cm.

26 cm

②

Colle la laine sur les lignes de ton dessin.

③ Tu as maintenant un beau tableau!

2 cm

deux centimètres sur les côtés, puis colle ton cadre sur ton dessin. Fixe-le au mur de ta chambre en perçant deux trous en haut du cadre dans lesquels tu introduis une corde de couleur.

Si tu désires refaire un autre tableau, change les dimensions et fabrique un autre type de cadre. Pour le tableau proprement dit, tu peux faire une peinture sur de la toile, puis coller des brins de laine de couleur sur les contours de tes dessins. À toi d'inventer.

Comment aider votre enfant à comprendre et à exploiter l'histoire

Les images

La chronologie des trois images pourra être perçue par l'enfant grâce au changement de certains éléments dans chacune des images: la laine, les brebis tondues. Si votre enfant éprouve des difficultés à trouver et à évoquer ces éléments, nous vous suggérons de l'aider à les identifier et à distinguer le changement entre les trois illustrations. Cette aide se fera de préférence sous forme de questions aidant l'enfant dans sa démarche, plutôt que sous forme d'affirmations ne permettant aucune interprétation.

Le texte des pages de gauche

Les thèmes développés en complément de l'histoire proprement dite sont les suivants:

— Les moutons donnent de la laine, page 112.

— Les brebis donnent du lait, page 114.

— Les brebis ont des agneaux, page 116.

Ils ont pour but de fournir de l'information sur l'élevage des moutons. Le premier explique la tonte des moutons et l'utilisation de la laine. Si votre enfant demande plus d'explications, vous pouvez au besoin chercher de la documentation avec lui dans une bibliothèque. Cette initiative l'encouragera à répéter cette expérience lorsqu'il fréquentera plus assidûment une bibliothèque. Le deuxième thème aborde la traite des brebis et l'utilisation du lait. Pour ce thème, nous vous suggérons le même type d'approche que pour le premier. Le troisième traite succinctement des agneaux.

L'élevage du mouton n'est qu'un exemple d'élevage; nous aurions pu en aborder d'autres. Si votre enfant vous demande des informations sur l'élevage d'autres animaux de la ferme, vous pouvez aborder le thème de la même façon, c'est-à-dire par des explications sommaires, puis par une approche plus systématique en lui conseillant de consulter certains livres à la bibliothèque.

Comment aider votre enfant dans ses jeux

Le premier jeu donne des explications techniques sur la fabrication du textile. Nous vous suggérons de lire ce texte avec votre enfant et de lui donner toutes les explications demandées ou vous paraissant nécessaires à une meilleure compréhension. Fournissez-lui de nombreux exemples de textiles; défaites certains brins de tissu et montrez-lui qu'ils sont composés de plusieurs fils.

La fabrication d'un fil à partir d'une boule de coton demande une certaine dextérité manuelle. Si votre enfant a de la difficulté à le fabriquer, évitez-lui un échec. Aidez-le ou proposez-lui de passer au quatrième jeu: un tableau avec de la laine.

Le deuxième jeu, comment fabriquer une corde, est relativement simple. Il est préférable d'aider votre enfant à réaliser la première corde afin qu'il l'expérimente une deuxième fois sans difficulté. Cette corde peut servir à de multiples usages: objets décoratifs (colliers, bracelets) ou matière première pour fabriquer des objets de décoration (voir le quatrième jeu).

Le texte du troisième jeu: "Sais-tu broder et tricoter?" est incitatif. Il propose à l'enfant d'apprendre la broderie ou le tricot. Nous vous invitons à encourager votre enfant dans cette démarche et à l'aider à choisir une activité correspondant à ses aptitudes.

Le quatrième jeu ne devrait pas poser de problèmes majeurs pour un enfant de sept ans. Nous vous suggérons une aide au besoin pour la fabrication du cadre.

— 7 —
Sylvie veut
traire une vache

— As-tu déjà vu une vache; t'es-tu appro-
chée d'elle?

— Sais-tu comment on fait pour avoir du lait
de vache?

— Sais-tu d'où provient le beurre?

Grand-mère — Médor, va chercher Grisette!

Sylvie — Ton chien comprend tout ce que tu lui dis?

Grand-mère — Oui, ma petite-fille; je l'ai dressé pour rabattre mes vaches. Regarde, Grisette lui obéit; elle revient près de nous. Je n'ai pas besoin de me lever; je peux continuer à tricoter le gilet que j'ai commencé pour toi.

Sylvie — Viens, Médor. Non! Non! ne me lèche pas. Tu as le museau tout froid. Dis-moi, grand-mère, quelle sorte de chien est-ce? Un boxer, un bouledogue, un terrier, un basset, un épagneul ou un lévrier?

Grand-mère — Rien de tout cela: les boxers et les bouledogues ont le museau écrasé comme si on leur avait donné un coup de poing; les terriers et les bassets sont de petits chiens courts sur pattes; les lévriers ont un museau très allongé; ils sont maigres et très hauts sur pattes. Médor, lui, c'est un berger allemand. En arrivant à la maison, je te montrerai toutes les sortes de chiens dans mon dictionnaire.

À présent, c'est l'heure de rentrer à l'étable; je vais t'apprendre à traire les vaches.

Sylvie — **Moi, je garde les vaches avec grand-mère et Médor.**

Grand-mère — Attention! Vise bien le seau sinon le lait va gicler par terre.

Sylvie — Est-ce que Grisette aime se faire traire?

Grand-mère — Oui, parce que le lait est lourd à porter. Quand tu auras rempli le seau, elle sera soulagée.

Sylvie — J'ai vu dans des livres qu'il existait des trayeuses électriques; comment ça marche?

Grand-mère — Le lait est aspiré par des ventouses qui s'accrochent aux pis. Le lait passe par un tuyau et il est recueilli dans une citerne. Tous les matins, un camion vient chercher ce lait pour l'amener à la laiterie.

Sylvie — **Je tire sur le pis de Grisette et le lait arrive.**
Grand-mère — **Bravo! Tu es une vraie fermière.**

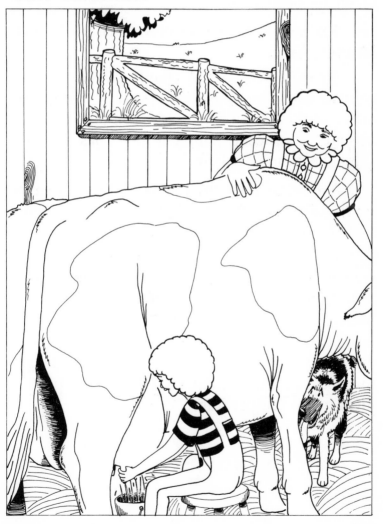

Sylvie — Pourquoi ton lait n'a-t-il pas le même goût que celui qu'on achète?

Grand-mère — Parce que, dans celui que tu achètes, on a enlevé presque toute la crème et on l'a pasteurisé.

Sylvie — Qu'est-ce que ça veut dire: "pasteuriser"?

Grand-mère — On chauffe le lait jusqu'à ce qu'il soit prêt à bouillir; ensuite, on le refroidit et on le met en bouteille. Le monsieur qui a inventé ce procédé pour conserver les aliments s'appelle Louis Pasteur.

Sylvie — Pasteur, pasteurisation, lait pasteurisé, beurre pasteurisé; je comprends maintenant pourquoi on les appelle ainsi.

Grand-mère — Depuis quelques années, on trouve du lait qu'on peut garder plusieurs mois sans le mettre dans le réfrigérateur tant que la boîte n'a pas été ouverte: on l'a chauffé dans une usine à une haute température et on l'a rapidement refroidi et mis dans des contenants de carton. On l'appelle du lait U.H.T.: du lait traité à ultra-haute température.

Sylvie — **Le lait est bon, il est tiède.**

Jeu questionnaire

À partir de 5 ans

1. Où vont Sylvie, grand-mère et les vaches dans la première image?
2. Que fait Sylvie dans la deuxième image?
3. Que boit Sylvie dans la troisième image?

À partir de 7 ans

4. Comment s'appelle le chien de grand-mère?
5. Comment Sylvie fait-elle pour avoir du lait?
6. Est-ce que le lait qui sort de la vache est froid, tiède ou chaud?

À partir de 8 ans

7. Comment grand-mère fait-elle pour ramener une vache égarée?
8. Connais-tu plusieurs sortes de chiens?

À partir de 9 ans

9. Comment fait-on pour traire les vaches dans les fermes modernes?
10. Comment fait-on pour conserver le lait et le beurre?

Veux-tu jouer?

Premier jeu (à partir de 7 ans)

Connais-tu plusieurs races de chiens?

Rien n'est plus facile à connaître, va voir le mot chien dans le dictionnaire. Il est probable que tu vas voir plusieurs photographies avec le nom de chacun.

Deuxième jeu (à partir de 7 ans)

À quoi sert le lait?

Imagine qu'un jour il n'y ait plus de lait. Réfléchis à tout ce que tu ne pourrais plus manger. Écris (fais-toi aider si nécessaire) le nom de tous ces aliments.

À présent, va t'informer auprès de papa, de maman ou d'autres personnes pour savoir s'ils vont penser aux mêmes aliments que toi ou à d'autres.

Troisième jeu (à partir de 5 ans)

Comment faire du lait au chocolat

C'est facile; tu mets une cuillerée de chocolat sucré en poudre dans un verre, puis tu verses du lait froid ou tiède en le mélangeant avec une cuillère. Il ne reste plus qu'à le boire. Est-ce que c'est bon?

Comment faire du pouding

Demande à papa ou à maman d'acheter une boîte de poudre pour faire du pouding instantané. Il n'est pas nécessaire de faire chauffer ou bouillir le lait. Suis bien les instructions sur la boîte pour la quantité de lait. N'oublie pas de bien remuer pendant une ou deux minutes lorsque tu incorpores la poudre.

Ta préparation terminée, tu as le choix entre la laisser dans le récipient dans lequel tu as fait le mélange ou bien la mettre dans des petits pots ou dans des verres. À présent, mets le tout au réfrigérateur et attends une demi-heure environ avant de le servir.

Qui vas-tu inviter pour déguster ton pouding?

Comment aider votre enfant à comprendre et à exploiter l'histoire

Les images

Les liens permettant de situer la chronologie des trois images présentent une plus grande complexité que dans les histoires précédentes. Les trois images sont apparemment dissemblables; il faut donc comprendre ce qui se passe entre la première et la deuxième images, puis entre la deuxième et la troisième pour percevoir la continuité des événements. Pour amener l'enfant à faire ces liens, commencez par une lecture paradigmatique de chacune des images (énumération des éléments y figurant) pour aborder ensuite la lecture syntagmatique (évocation de la chronologie des événements).

Le texte des pages de gauche

Les thèmes développés en complément de l'histoire proprement dite sont les suivants:

— Les chiens, page 130.

— La traite des vaches, page 132.

— Le lait et son traitement pour la conservation, page 134.

Le premier thème vous renseigne sur les races de chiens. Nous vous invitons à approfondir le sujet avec votre enfant en lui donnant des informations complémentaires appuyées sur des photographies ou illustrations pour que ces explications soient plus concrètes.

Le deuxième thème aborde la traite traditionnelle et la traite moderne des vaches. Si vous avez l'occasion d'aller à la ferme, profitez-en pour montrer à votre enfant les trayeuses électriques et leur fonctionnement. Ce genre de visite intéresse grandement les enfants.

Le troisième thème documente l'enfant sur les différentes façons de conserver le lait. Lorsque vous irez dans un magasin d'alimentation, profitez-en pour lui montrer les divers contenants de lait selon le type de conservation. Votre enfant pourra ainsi mieux les identifier ultérieurement.

Comment aider votre enfant dans ses jeux

Le premier jeu est une classification des diverses races de chiens. Le deuxième est une simulation avec recherche d'hypothèses et de solutions: que faire s'il n'y avait plus de lait. Les deux suivants sont des techniques de fabrication: le troisième jeu, comment faire du chocolat au lait, très facile à réaliser, s'adresse aux enfants à partir de cinq ans. Le quatrième, comment fabriquer du pouding, demande un peu plus d'habileté et de constance que le précédent; nous suggérons qu'il soit fait par un enfant d'au moins huit ans.

— 8 —
Grand-père
fabrique du fromage

— Aimes-tu le fromage?

— Sais-tu comment on le fabrique?

— Connais-tu plusieurs sortes de fromage?

— Sais-tu la différence entre un fromage cuit
et un fromage fermenté, entre un fromage
frais et un fromage fait?

Grand-père — Comme je n'ai pas beaucoup de vaches, je ne vends pas le lait; je fabrique un peu de fromage.

Éric — Pourquoi laisses-tu le lait dans la grosse marmite pendant quatre heures?

Grand-père — Pour qu'il fermente: grâce à la chaleur du feu sous la marmite, le lait reste toujours à la même température: ni trop chaude, ni trop froide.

Éric — Comment appelles-tu la poudre que tu as mise?

Grand-père — C'est de la "présure"; grâce à cette poudre, le lait fermente et devient comme le yogourt.

Grand-père — **Je mets le lait dans la grosse marmite. Il va rester là pendant quatre heures.**

Éric — Hum! C'est meilleur que du yogourt!

Grand-père — Toi, tu sais ce qui est bon. Je vais te faire goûter plusieurs sortes de fromage.

Voilà des fromages cuits; ils ont une pâte molle et ils ne sont pas très forts. Celui qui a plein de trous, c'est du gruyère; les autres, ce sont des cheddars; tu en as des forts et des doux.

Ceux qui sentent un peu fort, ce sont des fromages fermentés. Quand ils vieillissent, leur pâte devient de plus en plus molle; prends un morceau de camembert ou de brie.

Éric — Que c'est bon! C'est toi qui fabrique toutes ces sortes de fromage?

Grand-père — Non, je donne des fromages de ma fabrication au magasin de la ville et en échange, le patron me donne d'autres variétés de fromage.

Grand-père — **Maintenant, le lait est caillé. Goûte-le, il est comme du yogourt.**

Grand-père — Le lait caillé s'égoutte et devient du fromage. Demain, on pourra manger du fromage frais. Dans une semaine, il sera plus sec et il aura un autre goût. Dans deux semaines, il sera entouré d'une partie molle; on aura alors du fromage fait.

Éric — Fait ou frais?

Grand-père — Ne confonds pas; un fromage frais vient d'être fabriqué, c'est presque du yogourt. Un fromage fait est un peu vieux; il sent fort mais quel régal!

Éric — Si j'ai bien compris, en laissant vieillir ton fromage, le goût change et tu peux avoir ainsi plusieurs variétés de fromage?

Grand-père — Tu as tout compris; bravo, mon petit-fils!

Grand-père — J'ai rempli les pots. Le petit-lait va s'égoutter. Demain, on aura du fromage.

Jeu questionnaire

À partir de 5 ans

1. Que fait grand-père dans la première image?

2. Que fait grand-père dans la deuxième et la troisième images?

À partir de 7 ans

3. Qu'est-ce que grand-père verse dans la première image?

4. Combien de temps le lait va-t-il rester dans la marmite?

5. Au bout de quatre heures, que devient le lait?

6. Pourquoi grand-père met-il le yogourt dans les pots pleins de petits trous?

À partir de 8 ans

7. Que met grand-père dans le lait pour qu'il fermente et qu'il devienne ainsi du yogourt?

8. Connais-tu plusieurs sortes de fromage?

À partir de 9 ans

9. Quelle différence y a-t-il entre les fromages cuits et les fromages fermentés?

10. Quelle différence y a-t-il entre un fromage frais et un fromage fait?

Veux-tu jouer?

Premier jeu (à partir de 7 ans)

Quels fromages y a-t-il à l'épicerie?

La prochaine fois que tu iras à l'épicerie avec papa ou maman, informe-toi sur toutes les variétés de fromage; demande lesquels sont cuits ou fermentés, lesquels sont frais ou faits.

Deuxième jeu (à partir de 6 ans)

Quels fromages préfères-tu?

As-tu déjà goûté plusieurs sortes de fromage? Demande à tes parents d'en acheter plusieurs variétés. Compare leur goût. Quel est le meilleur?

Troisième jeu (à partir de 8 ans)

Comment cuisiner une fondue savoyarde

Voici une recette de fondue savoyarde pour trois ou quatre personnes.

Il te faut: deux ou trois sortes de fromages cuits, par exemple du gruyère, de l'emmenthal, du mozzarella ou du gouda.

— Tu remplis un verre de ces morceaux de fromage coupés en dés et tu y ajoutes de l'eau, un peu moins d'un quart du verre.

— Tu verses le tout dans une casserole et tu le fais chauffer doucement. Tu remues jusqu'à ce que le fromage soit fondu.

Ta fondue est prête; tes invités trempent des morceaux de pain avec une fourchette dans la casserole et les dégustent. Attention, c'est chaud!

Comment aider votre enfant à comprendre et à exploiter l'histoire

Les images

Leur compréhension peut présenter une certaine difficulté car il n'est pas évident, même avec le degré de réalisme du dessin recherché par les illustrateurs, que l'enfant comprenne qu'il s'agit de fromages. C'est pourquoi, nous vous invitons comme première approche à expliquer en détail le contenu de la première image, puis à laisser l'enfant essayer de comprendre les liens entre celle-ci et les autres. Il n'aura probablement pas de difficulté à s'apercevoir que le nombre de fromages augmente sur les étagères et que par conséquent le grand-père est en train de les fabriquer.

Le texte au-dessus des images

Il décrit ce que fait le grand-père et permet ainsi, non seulement de confirmer ce que l'on voit sur l'image, mais aussi d'être informé sur les étapes de fabrication d'un fromage.

Le texte des pages de gauche

Les thèmes développés en complément de l'histoire proprement dite sont les suivants:
— Fermentation du lait, page 144.
— Variétés de fromages, page 146.
— Fromages frais et fromages faits, page 148.

Il s'agit essentiellement d'un texte d'information: le premier thème explique la première étape de la fabrication du fromage. Le deuxième et le troisième abordent les divers types de fromage que l'on trouve sur le marché. Nous vous invitons, à la suite de cette lecture, à montrer à votre enfant les sortes de fromages vendus dans un grand magasin d'alimentation.

Comment aider votre enfant dans ses jeux

Les deux premiers jeux sont une analyse des ressemblances et des différences entre les fromages existant sur le marché. Le deuxième est essentiellement pratique puisqu'il propose une dégustation.

Le troisième jeu est une recette de cuisine demandant quelques précautions, car il s'agit de faire chauffer du fromage. Nous vous suggérons d'être présent et de ne permettre la réalisation de cette recette qu'à un enfant de huit ans ou plus.

— 9 —
Sylvie monte à cheval

— As-tu déjà vu un cheval de près?

— Es-tu monté dessus?

— Sais-tu ce qu'on doit mettre sur un cheval
pour monter?

— Sais-tu comment on fait avancer un cheval, comment on le fait tourner à droite
et à gauche?

Sylvie — Connais-tu le nom de toutes les maisons où habitent les animaux de la ferme de grand-père?

Éric — Grisette et ses amies vaches vivent dans l'étable. Les cochons, dans la porcherie; les poules, dans le poulailler; les lapins, dans le clapier; et Ponpon, le cheval, dans l'écurie.

Sylvie — Arrête! Je voulais savoir seulement comment s'appelait la maison de Ponpon.

Grand-père — J'ai fini de te brosser, mon beau cheval. Je n'ai plus qu'à mettre ta selle, ton mors et tes harnais. Attention, Sylvie! Ne passe jamais derrière un cheval; il peut ruer.

Sylvie — Ruer?

Éric — Oui, il peut sauter en l'air avec ses pattes de derrière.

Grand-père — Qui veut aller faire une promenade avec Ponpon?

Sylvie — Moi, j'aimerais bien monter sur son dos mais j'ai peur.

Sylvie — **Fais-tu la toilette du cheval?**
Grand-père — **Oui, je brosse Pon-pon.**

Grand-père — Je vais mettre ton pied sur l'étrier; tu passes l'autre jambe par-dessus son dos. Tiens sa crinière pour t'aider à monter.

Te voilà dessus à présent; tiens les rênes.

Éric — Vas-y, cavalier, au trot, au galop.

Grand-père — Il faut que Sylvie commence par faire marcher son cheval. Quand elle saura bien se tenir en équilibre, elle pourra alors trotter et galoper.

Éric — Pourquoi as-tu mis un chapeau rond sur la tête de Sylvie?

Grand-père — C'est une toque. Si elle tombait du cheval, la toque protégerait sa tête.

Grand-père — **Monte, Ponpon n'est pas méchant.**

Sylvie — **J'ai un peu peur.**

Sylvie — Ça y est, je suis sur le cheval. Je sais monter à cheval. Hue! cheval, hue!... Il ne veut pas avancer!

Grand-père — Tape ses flancs légèrement avec tes pieds.

Sylvie — Et pour tourner, comment faut-il faire?

Grand-père — Pour aller à droite, tu tires sur le harnais avec ta main droite et pour aller à gauche, tu tires à gauche.

Sylvie — Ça fait tout drôle; je saute chaque fois qu'il fait un pas.

Grand-père — Ne te raidis pas; suis tous les mouvements du cheval et regarde loin devant toi. C'est ça, bravo! Tu es déjà une vraie cavalière. Descends à présent; nous allons enlever le harnachement de Ponpon. Sylvie, défais la sangle qui tient la selle.

Sylvie — Ouvre ta bouche, Ponpon, je vais t'enlever le mors.

Grand-père — Éric, mets-lui de l'avoine dans la mangeoire pour ce matin. Cet après-midi, il ira dans la prairie pour brouter de l'herbe.

Sylvie — **Regarde, c'est facile de monter. Je n'ai plus peur.**

Jeu questionnaire

À partir de 5 ans

1. Que fait Sylvie?
2. Comment s'appelle ce que l'on met sur le cheval pour pouvoir s'asseoir?

À partir de 7 ans

3. Que fait grand-père dans la première image?
4. Penses-tu que Sylvie a l'habitude de monter à cheval?

À partir de 8 ans

5. Comment s'appelle la maison des cochons, des poules, des lapins, du cheval?
6. Pourquoi faut-il éviter de passer derrière un cheval?
7. Sais-tu comment s'appellent les différentes façons de marcher et de courir d'un cheval?
8. Pourquoi met-on une toque sur la tête lorsqu'on monte un cheval?

À partir de 9 ans

9. Comment fait-on pour diriger un cheval à droite ou à gauche?
10. Quelles sont les différentes parties du harnachement d'un cheval?

Veux-tu jouer?

Premier jeu (à partir de 5 ans)

Qu'est-ce qu'un cheval?

Autrefois, les chevaux vivaient à l'état sauvage. Ce sont les hommes qui les ont apprivoisés. Sais-tu comment s'appelle le bébé du cheval? Un poney. Et sa maman? une jument.

Tu connais peut-être certains animaux de la même famille: les ânes, les mulets, les zèbres.

Sais-tu ce qu'ils mangent? De l'herbe ou certaines graines comme de l'avoine.

Savais-tu qu'un cheval dort debout?

Essaie maintenant de dessiner un cheval.

Deuxième jeu (à partir de 8 ans)

À quelle famille
appartient le cheval?

Le cheval fait partie d'une famille qui comprend entre autres la plupart des animaux d'une ferme, sauf les oiseaux: la vache, le cochon, le mouton, le chien, le chat. Le tigre, le lion, la panthère, la girafe, le singe font aussi partie de cette famille; de même que le renard, le lapin et aussi la souris. Tous ces animaux, y compris l'humain (l'homme et la femme et toi aussi), sont des mammi-fères, c'est-à-dire qu'ils nourrissent leurs bébés avec du lait qui sort des mamelles (appelées seins chez les mamans).

La poule, le canard, le pigeon, le moineau et bien d'autres animaux encore sont de la famille des oiseaux. Qu'ont-ils en commun? On pourrait dire qu'ils volent, mais ce n'est pas exact parce que certains oiseaux sont incapables de prendre leur envol, l'autruche par exemple. Tous ces animaux ont des plumes.

La truite, le brochet, la carpe, le saumon, le requin font partie d'une autre famille; j'imagine que tu as deviné: ils font partie de la famille des poissons. Qu'ont-ils en commun? On pourrait dire qu'ils vivent dans l'eau. C'est exact. Mais certains mammifères, comme la baleine, vivent aussi dans l'eau. Ce qui distingue les pois-

famille des :	Vertébrés			
Mammifères	Chien	Papa	Girafe	Minou
Oiseaux	Canard	Moineau	Flamand	
Poissons	Petit poisson	Requin	Truite	

sons, c'est qu'ils ont des poumons leur permettant de respirer l'air contenu dans l'eau.

Nous avons donc vu trois grandes familles:

— Les mammifères qui allaitent leurs bébés avec leurs mamelles;

— Les oiseaux qui ont des plumes;

— Les poissons qui respirent l'air contenu dans l'eau.

Ces trois familles font partie d'un grand groupe d'animaux qu'on appelle les vertébrés. Ils ont tous, en effet, une colonne vertébrale.

Pour mieux te souvenir de tous ces noms de famille, je te propose un dessin pour les illustrer: tu divises ta feuille comme dans l'illustration et tu dessines tous les animaux que tu connais en marquant le nom de chacun d'eux en dessous.

Comment aider votre enfant à comprendre et à exploiter l'histoire

Les images

La chronologie des événements de cette série d'images est relativement simple à percevoir. La première montre le grand-père préparant le cheval, avec Sylvie à côté, la deuxième, Sylvie montant à cheval et la troisième, Sylvie sur le cheval. On pourra insister davantage sur les éléments qui figurent dans la première image en abordant le vocabulaire correspondant à chacun, la selle, les harnais, etc.

Le texte au-dessus des images

Le texte, principalement celui au-dessus de la deuxième et de la troisième images, exprime les émotions de Sylvie. Nous vous suggérons de discuter avec votre enfant pour savoir s'il aimerait monter à cheval; si oui, quelle impression cela lui ferait-il et aurait-il peur?

Le texte des pages de gauche

Les thèmes développés en complément de l'histoire proprement dite sont les suivants:
— Le milieu de vie des animaux de la ferme, page 158.
— Comment monter à cheval, page 160.
— Techniques d'équitation, page 162.

L'objectif principal de ce texte est de fournir à l'enfant un vocabulaire adapté au thème du cheval.

À la suite de cette lecture, nous vous suggérons de faire visiter à votre enfant un centre d'équitation et éventuellement de le faire monter à cheval. Si cela n'est pas possible, nous vous proposons d'expliquer à partir d'une illustration tout ce qui a été décrit dans le texte.

Comment aider votre enfant dans ses jeux

Le premier jeu est une explication technique, à la portée d'un enfant de cinq à huit ans, sur le cheval et la famille à laquelle il appartient. Nous vous invitons à aider votre enfant à trouver dans un dictionnaire ou dans une encyclopédie des illustrations qui vont lui permettre de mieux visualiser les animaux énumérés.

Le deuxième jeu est une activité de classification ayant pour but de situer à quelles familles appartiennent les divers animaux que votre enfant connaît. Nous vous suggérons de l'aider en discutant avec lui et en confirmant ce qu'il aura lui-même trouvé.

— 10 —
Éric et Sylvie
vont à la pêche

— Es-tu déjà allé à la pêche?

— Sais-tu si les poissons de mer et les poissons d'eau douce sont les mêmes?

— Pourrais-tu pêcher une baleine?

— Saurais-tu faire cuire un poisson?

Éric — Chez nous, papa ne veut pas qu'on pêche dans la rivière. Les déchets de la ville la polluent tellement qu'il n'y a même plus de poisson.

Grand-père — Ici, l'eau est tellement propre qu'on pourrait presque en boire. Elle vient tout droit de la montagne. Aucune ville, aucune usine n'y jettent leurs déchets.

Sylvie — Pourquoi ne punit-on pas ceux qui polluent l'eau?

Grand-père — On demande aux usines de ne pas jeter de déchets toxiques dans les rivières. Ceux qui désobéissent ont des amendes. Dans les villes et dans les villages, les eaux usées sont collectées par des égouts. Elles sont nettoyées dans des usines d'épuration qui les filtrent. L'eau est à nouveau propre; elle coule dans les rivières sans les polluer. Mais ces usines coûtent très cher et toutes les villes n'en possèdent pas encore.

À présent, nous sommes à mon endroit préféré pour la pêche. Regardez tous ces poissons qui barbotent et qui frétillent dans l'eau.

Éric — **Hourra, grand-mère vient à la pêche avec nous!**

Éric a fini d'enfiler un ver de terre à l'hameçon. Il lance sa ligne, dont le fil est en nylon, dans l'eau. Éric attend que le bouchon bouge; ce sera le signal qu'un poisson mange le ver de terre. Il faudra alors qu'il tire fort.

Éric — Grand-père, viens m'aider; j'ai peur de tomber dans l'eau; c'est un très gros poisson. Sylvie dit que c'est une baleine.

Grand-père — Un poisson dans cette rivière ne peut pas être une baleine parce que:

1) une baleine, c'est aussi gros qu'une maison;

2) une baleine, ça vit dans la mer et non dans une rivière;

3) une baleine, ça n'est pas un poisson; c'est comme une vache ou un cheval: c'est un mammifère, mais ça vit dans l'eau comme les phoques, les otaries ou les dauphins.

Éric — Alors c'est une morue.

Grand-père — Non, parce qu'une morue est un poisson qui vit dans l'eau de mer. Celui-là, c'est un poisson d'eau douce; c'est une truite.

Venez les enfants, on va faire un feu pour faire cuire notre "énorme baleine": je la couche dans une feuille de papier d'aluminium; je mets un peu de sel, je ferme bien en pliant les bords de la feuille et hop! dans le feu.

Éric — Ça mord; regarde, le bouchon bouge.
Sylvie — Tire, tire fort. C'est une baleine!

Grand-père — C'est grand-mère qui sait bien préparer les poissons. Le samedi, elle en achète parfois au marché de la ville. Elle vérifie d'abord s'ils sont bien frais: il faut qu'ils sentent frais, que les yeux soient bien brillants et que les ouïes soient toutes rouges. Arrivée à la maison, elle les ouvre pour enlever ce qui n'est pas bon puis elle les écaille.

Sylvie — Les écailles, écailler; veux-tu dire qu'elle enlève les écailles qui couvrent le poisson?

Grand-père — Exactement; elle enlève aussi les nageoires. Puis elle met les poissons ainsi préparés dans un plat, avec des tomates, des oignons, des olives, un peu d'huile, des aromates et du sel. Elle place le tout dans le four et une demi-heure après, tout le monde est à table.

Éric — Vous aimez les bonnes choses, toi et grand-maman.

Sylvie — Ça sent bon. Grand-père est un bon cuisinier.

Jeu questionnaire

À partir de 5 ans

1. Où vont Sylvie et Éric dans la première image?

2. Qu'arrive-t-il à Éric dans la deuxième image?

3. Comment grand-père fait-il cuire les poissons?

À partir de 7 ans

4. Comment Éric reconnaît-il qu'un poisson a mordu le ver de terre accroché à l'hameçon?

À partir de 8 ans

5. Pourquoi Éric ne peut-il pas pêcher dans la rivière qui passe dans la ville où il habite?

6. Y a-t-il des moyens pour dépolluer les rivières?

7. Une baleine est-elle un poisson?

8. Les poissons qui vivent dans la mer et ceux qui vivent dans les rivières sont-ils les mêmes?

9. Connais-tu plusieurs sortes de poissons?

À partir de 9 ans

10. Saurais-tu préparer un poisson pour le faire cuire?

Veux-tu jouer?

Poisson d'avril

Sais-tu que le 1er avril, on joue souvent à accrocher des poissons dans le dos de ses amis? Pour en fabriquer un, c'est facile.

— Tu dessines un poisson sur une feuille de papier, sans oublier la queue et les nageoires.

— Tu peux ensuite le colorer ou lui coller des écailles que tu fabriques en papier d'aluminium ou en papier brillant de couleur.

— Lorsque ton poisson est prêt, tu colles avec un papier adhésif une ficelle au bout de laquelle tu laisses dépasser un autre bout de papier adhésif.

— Tu peux aussi préparer un adhésif en forme de tuyau avec le collant à l'extérieur que tu appliques sur le poisson.

Tout est prêt maintenant pour coller ton poisson sur quelqu'un ou tout simplement pour l'utiliser comme décoration, en le fixant au mur de ta chambre.

Deuxième jeu (à partir de 7 ans)

Des mobiles

Un mobile est une décoration suspendue au plafond et qui bouge avec le vent.

Il te faut du fil de fer, du fil et des poissons comme ceux préparés dans le premier jeu.

1. À chaque poisson, tu attaches un fil de trente centimètres environ.

2. Tu attaches deux poissons aux extrémités d'un fil de fer droit de trente centimètres de long environ.

3. Tu attaches un autre fil au milieu du fil de fer de façon à ce que tes poissons tiennent en équilibre avec le fil de fer horizontal (voir image 2).

4. Tu accroches le bout du troisième fil au plafond.

Ce mobile est simple. Après cette première expérience, tu peux en construire d'autres en faisant plusieurs étages comme dans le dessin.

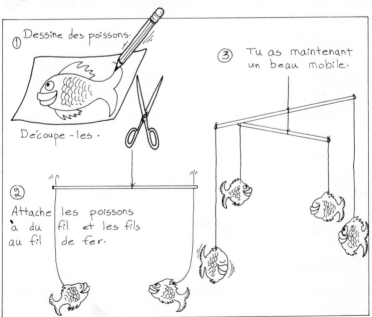

① Dessine des poissons.

Découpe-les.

② Attache les poissons à du fil et les fils au fil de fer.

③ Tu as maintenant un beau mobile.

Troisième jeu (à partir de 8 ans)

Connais-tu plusieurs
sortes de poissons?

Regarde dans le dictionnaire le mot "poisson"; tu vas peut-être trouver une page de photographies de poissons.

Connais-tu certains poissons d'eau douce?

— La truite, la carpe, le brochet.

Connais-tu quelques poissons de mer?

— La sole, la morue, le thon, le requin.

Les poissons ont des formes et des couleurs très diverses; certains sont très beaux. S'il existe un aquarium près de chez toi, profites-en pour demander à tes parents d'aller le visiter.

Comment aider votre enfant à comprendre et à exploiter l'histoire

Les images

Chaque image illustre un lieu et une action différents; chacune peut être un sujet de discussion avec votre enfant à partir d'une lecture paradigmatique (une énumération des éléments) puis d'une lecture syntagmatique (une évocation de l'action des personnages, par exemple pour la première image: grand-père et ses petits-enfants qui partent à la pêche, faisant un signe d'au revoir à grand-mère). Cette étude préalable de chaque image permettra à l'enfant de faire ensuite des liens entre chacune et de s'apercevoir par conséquent qu'il y a une évolution chronologique: d'abord le départ pour la pêche, ensuite la pêche proprement dite et enfin le repas préparé avec les poissons pêchés.

Toute cette discussion devrait se faire sous forme de questions permettant à l'enfant de trouver lui-même les éléments et les liens dans chaque image et le rapport entre elles.

Le texte au-dessus des images

Il n'ajoute rien aux images, mais il fait parler les personnages en action, ce qui apporte un attrait au contenu même de l'histoire.

Le texte des pages de gauche

Les thèmes développés en complément de l'histoire proprement dite sont les suivants:

Le premier thème expose rapidement le problème de la pollution et explique comment on tente à présent de dépolluer les eaux usées qui se déversent généralement dans les rivières. Nous vous suggérons d'aborder une discussion avec votre enfant sur ce problème et sur les moyens utilisés pour le contrer.

Le deuxième explique simplement une technique de pêche et fait l'inventaire du matériel nécessaire. Si vous êtes pêcheur vous-même, il est évident que votre enfant reconnaîtra le vocabulaire utilisé et sera en mesure de développer ce sujet si vous l'invitez à le faire. Si vous ne pêchez pas, vous pouvez vous arrêter devant un magasin d'articles de pêche et montrer à votre enfant les éléments déjà énumérés. La deuxième partie de ce texte évoque un raisonnement logique que votre enfant pourra réutiliser s'il fait le troisième jeu, page 182.

Le troisième thème est un prétexte pour utiliser un vocabulaire spécifique (ouïes, écailles, nageoires). Il serait utile de reprendre ce vocabulaire en regardant une photographie ou un poisson chez un marchand. Profitez-en à cette occasion pour lui expliquer les diverses sortes de poissons qui existent sur le marché.

Comment aider votre enfant dans ses jeux

Les deux premiers jeux sont des techniques de fabrication de poissons et de mobiles. L'objectif, principalement dans le deuxième, est d'amener l'enfant à suivre une fiche technique hiérarchisée permettant d'arriver à un but déterminé à l'avance.

Le troisième est un exercice de classification nécessitant l'usage du dictionnaire. Nous vous suggérons d'aider votre enfant dans cette recherche pour qu'il puisse la mener à bien sans difficulté.

Conclusion

Tous les thèmes traités étaient un prétexte pour aiguiser la curiosité de votre enfant et l'amener à faire des démarches personnelles pour accroître ses connaissances. Un des principaux objectifs visés par rapport au contenu consistait à lui faire faire une démarche rationnelle en vue de vérifier des hypothèses. Les moyens proposés à l'enfant étaient de trois ordres:

1. S'informer auprès de gens capables de lui donner des réponses satisfaisantes ou bien chercher dans un dictionnaire, une encyclopédie, ou une revue.
2. Faire des expériences.
3. Découvrir des solutions par une approche rationnelle de déduction.

Un des principaux objectifs par rapport à la lecture visait à faire accéder votre enfant à un niveau de lecture supérieur: peut-être faisait-il seulement une énumération des éléments contenus dans les illustrations au début, alors qu'à présent il est en mesure d'expliquer davantage les actions et les liens entre les images permettant de situer la chronologie des événements. Si votre enfant est un peu plus âgé, nous espérons que notre approche l'aura motivé dans ses lectures et lui aura permis ainsi d'améliorer ses réussites dans ce domaine.

Il serait intéressant de vérifier si votre présence et vos interventions lui ont été utiles. Discutez franchement avec votre enfant; demandez-lui s'il a aimé votre collaboration, s'il aurait préféré que vous l'aidiez davantage ou moins souvent dans les lectures, les questionnaires ou les jeux. Cette évaluation vous permettra, si vous avez l'intention de poursuivre la lecture d'un nouveau volume de la collection, d'être plus efficace dans vos interventions et d'avoir un comportement jugé plus satisfaisant par votre enfant.

Table des matières

Achevé d'imprimer sur les presses de

L'IMPRIMERIE ELECTRA*
*Division de l'A.D.P. Inc.

pour

LES ÉDITIONS DE L'HOMME*
*Division de Sogides Ltée

Imprimé au Canada/Printed in Canada

Ouvrages parus aux ÉDITIONS DE L'HOMME

* Pour l'Amérique du Nord seulement.
** Pour l'Europe seulement.

ALIMENTATION — SANTÉ

* **Allergies, Les,** Dr Pierre Delorme
* **Apprenez à connaître vos médicaments,** René Poitevin
* **Art de vivre en bonne santé, L',** Dr Wilfrid Leblond
* **Bien dormir,** Dr James C. Paupst
* **Bien manger à bon compte,** Jocelyne Gauvin
* **Boîte à lunch, La,** Louise Lambert-Lagacé
* **Cellulite, La,** Dr Gérard J. Léonard
   Comment nourrir son enfant, Louise Lambert-Lagacé
   Congélation des aliments, La, Suzanne Lapointe
* **Conseils de mon médecin de famille, Les,** Dr Maurice Lauzon
* **Contrôlez votre poids,** Dr Jean-Paul Ostiguy
* **Desserts diététiques,** Claude Poliquin
* **Diététique dans la vie quotidienne, La,** Louise Lambert-Lagacé
   En attendant notre enfant, Yvette Pratte-Marchessault
* **Face-lifting par l'exercice, Le,** Senta Maria Rungé

* **Femme enceinte, La,** Dr Robert A. Bradley
* **Guérir sans risques,** Dr Émile Plisnier
* **Guide des premiers soins,** Dr Joël Hartley
   Maigrir, un nouveau régime... de vie, Edwin Bayrd
* **Maman et son nouveau-né, La,** Trude Sekely
** **Mangez ce qui vous chante,** Dr Leonard Pearson et Dr Lillian Dangott
* **Médecine esthétique, La,** Dr Guylaine Lanctôt
   Menu de santé, Louise Lambert-Lagacé
* **Pour bébé, le sein ou le biberon,** Yvette Pratte-Marchessault
* **Pour vous future maman,** Trude Sekely
* **Recettes pour aider à maigrir,** Dr Jean-Paul Ostiguy
   Régimes pour maigrir, Marie-José Beaudoin
* **Soignez-vous par le vin,** Dr E.A. Maury
   Sport — santé et nutrition, Dr Jean-Paul Ostiguy

ART CULINAIRE

* **Agneau, L',** Jehane Benoit
* **Art d'apprêter les restes, L',** Suzanne Lapointe
   Art de la cuisine chinoise, L', Stella Chan
* **Bonne table, La,** Juliette Huot
* **Brasserie la mère Clavet vous présente ses recettes, La,** Léo Godon
* **Canapés et amuse-gueule**

* **Cocktails de Jacques Normand, Les,** Jacques Normand
* **Confitures, Les,** Misette Godard
   Conserves, Les, Soeur Berthe
* **Cuisine aux herbes, La,**
* **Cuisine chinoise, La,** Lizette Gervais
* **Cuisine de maman Lapointe, La,** Suzanne Lapointe
* **Cuisine de Pol Martin, La,** Pol Martin

DOCUMENTS — BIOGRAPHIES

* **Maîtresse, La,** W. James, S. Jane Kedgley
* **Mammifères de mon pays, Les,** St-Denys, Duchesnay et Dumais
* **Masques et visages du spiritualisme contemporain,** Julius Evola
* **Mon calvaire roumain,** Michel Solomon
* **Moulins à eau de la vallée du Saint-Laurent, Les,** F. Adam-Villeneuve et C. Felteau
* **Mozart raconté en 50 chefs-d'oeuvre,** Paul Roussel
* **Musique au Québec, La,** Willy Amtmann
* **Objets familiers de nos ancêtres, Les,** Vermette, Genêt, Décarie-Audet
* **Option, L',** J.-P. Charbonneau et G. Paquette
* **Option Québec,** René Lévesque
* **Oui,** René Lévesque
  OVNI, Yurko Bondarchuck
* **Papillons du Québec, Les,** B. Prévost et C. Veilleux
* **Petite barbe. J'ai vécu 40 ans dans le Grand Nord, La,** André Steinmann
* **Patronage et patroneux,** Alfred Hardy

Pour entretenir la flamme, T. Lobsang Rampa
* **Prague l'été des tanks,** Desgraupes, Dumayet, Stanké
* **Premiers sur la lune,** Armstrong, Collins, Aldrin Jr
* **Provencher, le dernier des coureurs de bois,** Paul Provencher
* **Québec des libertés, Le,** Parti Libéral du Québec
* **Révolte contre le monde moderne,** Julius Evola
* **Struma, Le,** Michel Solomon
* **Temps des fêtes, Le,** Raymond Montpetit
* **Terrorisme québécois, Le,** Dr Gustave Morf
  Treizième chandelle, La, T. Lobsang Rampa
* **Troisième voie, La,** Émile Colas
* **Trois vies de Pearson, Les,** J.-M. Poliquin, J.R. Beal
* **Trudeau, le paradoxe,** Anthony Westell
* **Vizzini,** Sal Vizzini
* **Vrai visage de Duplessis, Le,** Pierre Laporte

ENCYCLOPÉDIES

* **Encyclopédie de la chasse, L',** Bernard Leiffet
* **Encyclopédie de la maison québécoise,** M. Lessard, H. Marquis
  Encyclopédie de la santé de l'enfant, L', Richard I. Feinbloom
* **Encyclopédie des antiquités du Québec,** M. Lessard, H. Marquis

* **Encyclopédie des oiseaux du Québec,** W. Earl Godfrey
* **Encyclopédie du jardinier horticulteur,** W.H. Perron
* **Encyclopédie du Québec, vol. I,** Louis Landry
* **Encyclopédie du Québec, vol. II,** Louis Landry

LANGUE *

Améliorez votre français, Jacques Laurin
Anglais par la méthode choc, L', Jean-Louis Morgan
Corrigeons nos anglicismes, Jacques Laurin

Notre français et ses pièges, Jacques Laurin
Petit dictionnaire du joual au français, Augustin Turenne
Verbes, Les, Jacques Laurin

LITTÉRATURE *

Adieu Québec, André Bruneau
Allocutaire, L', Gilbert Langlois
Arrivants, Les, Collaboration
Berger, Les, Marcel Cabay-Marin

Bigaouette, Raymond Lévesque
Bousille et les justes (Pièce en 4 actes), Gratien Gélinas
Cap sur l'enfer, Ian Slater

Carnivores, Les, François Moreau
Carré Saint-Louis, Jean-Jules Richard
Cent pas dans ma tête, Les, Pierre Dudan
Centre-ville, Jean-Jules Richard
Chez les termites, Madeleine Ouellette-Michalska
Commettants de Caridad, Les, Yves Thériault
Cul-de-sac, Yves Thériault
D'un mur à l'autre, Paul-André Bibeau
Danka, Marcel Godin
Débarque, La, Raymond Plante
Demi-civilisés, Les, Jean-C. Harvey
Dernier havre, Le, Yves Thériault
Domaine Cassaubon, Le, Gilbert Langlois
Doux mal, Le, Andrée Maillet
Emprise, L', Gaétan Brulotte
Engrenage, L', Claudine Numainville
En hommage aux araignées, Esther Rochon
Exodus U.K., Richard Rohmer
Exonération, Richard Rohmer
Faites de beaux rêves, Jacques Poulin
Fréquences interdites, Paul-André Bibeau
Fuite immobile, La, Gilles Archambault
J'parle tout seul quand Jean Narrache, Émile Coderre
Jeu des saisons, Le, M. Ouellette-Michalska

Joey et son 29e meutre, Joey
Joey tue, Joey
Joey, tueur à gages, Joey
Marche des grands cocus, La, Roger Fournier
Monde aime mieux..., Le, Clémence DesRochers
Monsieur Isaac, G. Racette et N. de Bellefeuille
Mourir en automne, Claude DeCotret
N'tsuk, Yves Thériault
Neuf jours de haine, Jean-Jules Richard
New Medea, Monique Bosco
Ossature, L', Robert Morency
Outaragasipi, L', Claude Jasmin
Petite fleur du Vietnam, La, Clément Gaumont
Pièges, Jean-Jules Richard
Porte silence, Paul-André Bibeau
Requiem pour un père, François Moreau
Séparation, Richard Rohmer
Si tu savais..., Georges Dor
Temps du carcajou, Les, Yves Thériault
Tête blanche, Maire-Claire Blais
Trou, Le, Sylvain Chapdelaine
Ultimatum, Richard Rohmer
Valérie, Yves Thériault
Visages de l'enfance, Les, Dominique Blondeau
Vogue, La, Pierre Jeancard

LIVRES PRATIQUES — LOISIRS

* Abris fiscaux, Les, Robert Pouliot et al.
* Améliorons notre bridge, Charles A. Durand
* Animaux, Les — La p'tite ferme, Jean-Claude Trait
* Appareils électro-ménagers, Les
  Art du dressage de défense et d'attaque, L', Gilles Chartier
* Bien nourrir son chat, Christian d'Orangeville
* Bien nourrir son chien, Christian d'Orangeville
* Bonnes idées de maman Lapointe, Les, Lucette Lapointe
* Bricolage, Le, Jean-Marc Doré
  Bridge, Le, Viviane Beaulieu
* Budget, Le, En collaboration

* 100 métiers et professions, Guy Milot
* Collectionner les timbres, Yves Taschereau
* Comment acheter et vendre sa maison, Lucile Brisebois
* Comment aménager une salle de séjour
* Comment tirer le maximum d'une mini-calculatrice, Henry Mullish
* Comment amuser nos enfants, Louis Stanké
* Conseils aux inventeurs, Raymond-A. Robic
* Construire sa maison en bois rustique, D. Mann et R. Skinulis
* Crochet jacquard, Le, Brigitte Thérien
* Cuir, Le, L. Saint-Hilaire, W. Vogt

PHOTOGRAPHIE — CINÉMA

8/super 8/16, André Lafrance
Apprenez la photographie avec Antoine Desilets, Antoine Desilets
Apprendre la photo de sport, Denis Brodeur
* **Chaînes stéréophoniques, Les,** Gilles Poirier
* **Chasse photographique, La,** Louis-Philippe Coiteux
Ciné-guide, André Lafrance
Découvrez le monde merveilleux de la photographie, Antoine Desilets
Je développe mes photos, Antoine Desilets

Je prends des photos, Antoine Desilets
Photo à la portée de tous, La, Antoine Desilets
Photo de A à Z, La, Desilets, Coiteux, Gariépy
Photo-guide, Antoine Desilets
Photo reportage, Alain Renaud
Technique de la photo, La, Antoine Desilets
Vidéo et super-8, André A. Lafrance et Serge Shanks

PLANTES — JARDINAGE *

Arbres, haies et arbustes, Paul Pouliot
Culture des fleurs, des fruits et des légumes, La
Dessiner et aménager son terrain
Guide complet du jardinage, Le, Charles L. Wilson
Jardinage, Le, Paul Pouliot
Jardin potager, Le — La p'tite ferme, Jean-Claude Trait

Je décore avec des fleurs, Mimi Bassili
Plantes d'intérieur, Les, Paul Pouliot
Techniques du jardinage, Les, Paul Pouliot
Terrariums, Les, Ken Kayatta et Steven Schmidt
Votre pelouse, Paul Pouliot

PSYCHOLOGIE — ÉDUCATION

* **Âge démasqué, L',** Hubert de Ravinel
Aider son enfant en maternelle et en 1ère année, Louise Pedneault-Pontbriand
Aidez votre enfant à lire et à écrire, Louise Doyon-Richard
Amour de l'exigence à la préférence, L', Lucien Auger
* **Caractères et tempéraments,** Claude-Gérard Sarrazin
* **Caractères par l'interprétation des visages, Les,** Louis Stanké
Comment animer un groupe, Collaboration
Comment déborder d'énergie, Jean-Paul Simard
* **Comment vaincre la gêne et la timidité,** René-Salvator Catta
Communication dans le couple, La, Luc Granger
Communication et épanouissement personnel, Lucien Auger

* **Complexes et psychanalyse,** Pierre Valinieff
Contact, Léonard et Nathalie Zunin
* **Cours de psychologie populaire,** Fernand Cantin
Découvrez votre enfant par ses jeux, Didier Calvet
* **Dépression nerveuse, La,** En collaboration
Développement psychomoteur du bébé, Le, Didier Calvet
* **Développez votre personnalité, vous réussirez,** Sylvain Brind'Amour
Douze premiers mois de mon enfant, Les, Frank Caplan
* **Dynamique des groupes,** J.-M. Aubry, Y. Saint-Arnaud
Être soi-même, Dorothy Corkille Briggs
Facteur chance, Le, Max Gunther
* **Femme après 30 ans, La,** Nicole Germain

SEXOLOGIE

SPORTS